ブスの瞳に恋してる

鈴木おさむ

マガジンハウス

はじめに

2002年10月。僕、放送作家、鈴木おさむは結婚した。相手は吉本の森三中という女性トリオ芸人の中の一人、大島美幸。そう、世で言う「ブス」。そのトリオの中でも凄く目立つ「ブス」。おまけにデブ。

よく人に「ホントに結婚してるの?」と言われるがホントに結婚している。一緒に生活を送っている。そして何よりそんなブスな女性のことを本気で愛していると言い張れる。世界の中心で愛を叫べる。

言っておくが僕はブスセン(ブスな女性のことが根本的に好きな人のこと)というわけではない。彼女と出会うまでは僕は凄く面食いで、容姿の綺麗な女性とばかり付き合ってきた。だから、もしタイムマシーンがあったとして、3年前の自分に「お前、こいつと結婚するんだぞ」と言っても絶対に信じるわけがない。「そんなわけねえだろ」と怒り出すかもしれない。まさか自分がブスと結婚するなんて思ってもなかった。

僕は5年ほど前からある占い師さんの所に一年に一回行っているのだが、その占い師さんの言うことがよく当たる。いろいろと助けられてきた。で、2002年の1月にその占い師さんの所を訪れた時だった。占い師さんは言った。

「今年天女が現れるわよ」と。

その2か月後、僕は身長178cmの顔も性格もいい、モデルをやっている素敵な女性と付き合うことになった。僕は絶対にその美女が天女だと思った。が、天女は彼女じゃなかった。そのその2か月後に出会った一人の女若手芸人だったのだ。

確かに占い師さんは「天女が現れる」とは言ったが「美人の天女」とは言ってない。その一人の女若手芸人であり後に奥さんとなる大島美幸に出会った時はもちろん、彼女が天女であるとは思ってない。

しかし、初対面である彼女に会ってすぐに僕は言った。「結婚しよう」。もちろん、ブスである彼女にそう言えば周りが爆笑するであろう！　と思って言った言葉である。妻はあの時のことを思い出して言う。

「どう考えてもからかわれてるようにしか思えなかった」

確かにからかっていたのかもしれない。が、その言葉を言った時、僕の胸の中でなんか妙な胸騒ぎがしていたのも事実。何故なら、そう！　彼女こそが「天女」であったからだ。

そんな彼女との出会いを話すと、みんな笑って信じない。でも、事実だから仕方ない！

そんな出会いで妻と結婚。交際日0日の結婚。妻は女で芸人という特殊な仕事をしている。僕が出会った頃の妻はまだ中野のボロアパートに友達と暮らしていた。だから、妻は僕と結婚して生活環境が変わった。毎日仕事仕事に追われていた僕の生活も変わった。結婚してから毎日、刺激的で楽しい毎日を送ってる。

あまりに刺激的なので、この刺激と幸せを人に分け与えようと思い、結婚当初から雑誌『POPEYE』で連載していた「鈴木弥輪店♡物語」に書き始めた。30を過ぎた一人の放送作家が、8歳も年下の若手で貧乏な女芸人と結婚してから、どんな生活を送っているかのドキュメンタリーを。

結婚してからとりあえず約2年分のエッセイをまとめたのがこの本なのだが、今、自分で読み返してみても信じられないようなエピソードが連発する。でも「全て事実」である！　中には我が夫婦の夜の生活まで赤裸々に書いたものまであるが、それも事実である。読んでいるうちに笑えるエピソードも多々あると思うが、腹が立つエピソードもあるはずだ。が、これはある意味究極のおのろけ本なので、その辺をご理解して読んでいただきたい！　くれぐれも愛の参考書ではないので、その辺、勘違いしないでほしい！

どちらかと言えば、一人の男と一人のブスの夫婦の間に、この2年の間にどんな事件が起きて、どう変わっていったのか？？　小学生の頃に読んだ『シートン動物記』を読むような気持ちでワクワクして読んでいただけたら、これ幸いです。

それでは、ある意味究極の愛の形である我々夫婦の2年間のおのろけ話、お楽しみください！

目次

写真…飯田かずな
衣裳製作…小泉みち子（juice）
ヘアメイク…李 賢一（エルイーイー）
かつら…studioAD
モデル…大島美幸
装幀…古川誠二（メガネグラフィック）

ブスの瞳に恋してる

㊗ブスと結婚する！

僕、放送作家の鈴木おさむは、先日、芸能人と結婚した。その相手は藤原紀香、米倉涼子と並んで日本の三大美女の一人と僕が勝手に呼んでいる女性。吉本興業の「森三中」という若手女芸人トリオの一人、大島美幸という人だ。身長161㎝、体重73kg。三段腹でお腹にタバコが挟める芸を持つ、そんな美女、みゆきちゃん。

彼女と結婚するまでの交際期間はなんと0日だ。

美幸と出会ったのは、半年前。ある飲み会だった。ちょうどその頃放送されていた番組で、美幸が男性サウナにタオルを首から掛けて全裸で入っていく！　という衝撃企画にチャレンジしていた。ブラウン管から流れる美幸の姿は、おっさんそのもの。僕がここ最近テレビを見て笑った映像の№.

1だった。そんな美幸の実物を見て言った。「可愛いーー」。すぐに友達からメガネを渡されたが、彼女には公園を散歩してるデカイ犬ちっくな可愛らしさがあった。

その飲み会は毎週開かれ、そのたびに僕は美幸に「結婚するかー」と言い、美幸も「いいですよ」と返す。当然そのやりとりを周りのみんなは冗談だと思ってゲラゲラ笑っている。でも、毎週そのやりとりを続けているうちに、ホントに結婚したいなーなんて思えてきちゃったのだ。

でも、その時点で僕には彼女がいた。身長178㎝でかなりのベッピンさん。性格も問題ナシ。こんな綺麗な人が奥さんだったら幸せだなー、なんて思ったこともあったのだが、ある時考えた。自分にとって結婚ってなんなんだろう！　って。そんな『anan』の特集みたいなこと考えてるうちに、一コ気づいた。「自分の奥さんにリスペクト魂が持てないとダメだ！」と（これはもちろん僕の場合）。

それを考えると、その時のベッピン彼女よりも、裸で男のサウナに入っていける美幸のほうが僕にとってはリスペクトのストライクだった。

それがわかってしまった時点で僕はベッピン彼女と別れた。別れる前にもう一回やらせて！　と言いたい気持ちもあったが別れた。

そして次の恒例の飲み会で美幸に会った時「彼女と別れたから結婚するかー」と言った。美幸も「いいっすよー」と返す。周りはいつものやりとりだと思ってゲラゲラ笑っている。が、僕は本気だった。そして美幸も。

……とまあこんなふうに冗談から始まった結婚話は進んでいき、ついに美幸の実家である栃木のご両親への挨拶に行った。もちろん初対面。

運転手として若手芸人A君と森三中の他の二人もなぜかついてきた。

ご両親も祖母も祖父も絵に描いたような田舎の素敵な家族だった。そこでお母さんが作ってくれた料理を食べ、酒を飲みながら、その「ご挨拶」は順調に進んでいった。

が、その時事件は起こり始めた。A君は自分で太鼓を叩きながら変なダンスをする芸を持っているのだが、その太鼓を部屋に持ち込んでいたのだ。そして、美幸のお母さまが調子に乗ってその太鼓を叩き出した。

すると、A君はご丁寧にふすまの奥に隠れ、太鼓のリズムに合わせてふすまを開き、フラワーロック顔負けの怪しいダンスをする。ご両親はそれを見てゲラゲラ笑っている。

そのうち、お母さんはどんどんご機嫌になり太鼓を何度も叩く。そのたびにふすまに隠れてダンスをしながら登場するA君。いい感じじゃん！　と思った時……。何度も太鼓ダンスを繰り返しているうちにA君も追いつめられたのか、ふすまの奥で何やら怪しい音がし始めた。嫌な予感がした。お母さんが太鼓を叩く。ふすまが開く。ビンゴだ！

そこには全裸のA君が自分の股間をお盆で隠して立って腰を振っていたのだ。「娘さんをください」と言いに行った大事なご挨拶の会で、なんたるソソウ。「しまったー」と思った瞬間、お母さんもお父さんも腹を押さえて笑い始めた。その瞬間、こんなシャレが利く美幸のお母さんとお父さん、そしてこの二人からできた美幸がもっとスキになった。ＬＯＶＥだ。

ご両親から結婚の快諾ももらい、その翌週、籍を入れた。

知り合ってから半年。交際期間０日。相手は処女で入籍まで純潔を守った美幸と僕の実験的とも言えるこの結婚がこの先どうなるのか？　みんなは理解できないと言うが、ハッキリ言って僕はワクワクしてる。

㊗ブスと結婚する！　その2。

前回も書いたが先月結婚した。

相手は、アンジェリーナ・ジョリー、キャメロン・ディアスと並び、ハリウッド三大セクシー女優といわれている吉本興業の「森三中」という若手女芸人トリオの一人、大島美幸という人だ。前に、体重73kgと書いたが、76kgらしい。

そんな、僕から見たら美女の彼女と結婚し、いろんな人から笑いながらの「おめでとう」の祝福を受けたのだが、実は僕の両親からは「おめでとう」の声は出ていない。

何故なら、僕の両親にはまだ紹介してないからだ。

ある日突然電話で「結婚したから」と伝えた。当然母のえみこは「何？　突然？　冗談？」と言った後に徐々に真実だということがわかり「非常識だ！　向こうの両親に悪い！　そんなのすぐに離婚する」とどんどんマイナス思考発言になった挙げ句、「わかった！　できちゃった結婚だなー。なんでゴムしなかったの！」と、早トチリのオンパレード。あまりに僕に対して「常識がない」と連呼するので、僕もヒートして、つい「息子にさんざん金借りてる親とどっちが非常識だ」と、言ってはいけない言葉を吐いてしまった。と自分を反省したのも束の間、「非常識のジャンルが違う！」と言い返された時にはちょっと笑ってしまった。笑ってしまったら僕の負け。結局その日は美幸と電話で話をさせることもなく、電話を切った。

交際期間0日で相手は芸人。しかも、現在ラーメンマンのような髪型でほぼ8割がスキンヘッド状態。いきなりこんなビックリ人間を連れていっても、全てが理解不能に違いない！　と思い、足踏みしている間に、会わすことすらできないままでいる。なので当然おめでとうの言葉もない。だから今回、うちの妻の美幸がどんな女性かがわかるエピソードを、僕の両親、あきらとえみこに向けて紹介したいと思う。

数週間前の夜。あの日は、婚前に性交渉どころかキスもしてなかった僕と美幸が一緒に暮らすことになってた日。つまり初夜を迎える日。都内の小さなライヴハウスで、僕の仕切っていた若手芸人出演のライヴの打ち上げがあった。そこに美幸も来たのだ。みんな酒も入ったところで、ある催し物が行われた。それは芸人が全裸で一対一で向かい合い顔面パンチ以外OKのアルティメットルールで戦い、最終的に相手のチンコに生キッスしたほうが勝ちというギルガメッシュなモノだ。

もちろん全員男芸人。その中で紅一点、混じって戦ったのがうちの妻だった。さすがに美幸は裸NGなので、代わりにスパッツとブラジャー一丁で男芸人Hと向かい合い、勝負を始めた。

この試合だけは変則ルールで、相手は美幸の唇を奪えば勝ち。もちろん美幸は相手のチンコに生キッスすれば勝ち。

試合が始まり、サウナにいるおっさん顔負けの巨体を揺らして戦い始めたうちの妻は、まさに白いボブ・サップ。相手と顔面を張り合い一歩も引かないうちの妻の姿にボクも旦那として大爆笑&君に胸キュン。時には相手に首を絞められブラを外され、それでも丸出しの乳を隠すわけでもなく、相手に向かってボディーに本気パンチをぶちこむ美幸。切なさは一切ない。というか格好いい。

試合時間が10分を過ぎた頃、美幸のスタミナが切れ始めた。相手の芸人Hに顔をつかまれ、美幸の唇に芸人Hの唇が近づいた！　ピンチだ！　その日が初夜だというのに、唇を奪われたらたまらない。僕はステージに上がり、僕がここ数年出したことのないような力でHの体を羽交い締め。そして妻に叫んだ。「早くー。早くチンコにキスしてー」。即座に妻はHのチンコに噂のキッス。

この初めての夫婦共同作業で美幸は勝利を飾り、場内からも大きな拍手。そして僕は、幕内力士並みの上半身裸の美幸の体を抱きしめ、キスをした。これが美幸とのファーストキッスだ。

そしてステージから降り、ブラジャーを着け直し、周りから「めちゃめちゃ面白かったぞ」と言われて本気の笑顔を浮かべている美幸を見て、僕は心から思った。

「こいつと結婚して良かった」と。

この日、僕は美幸と満足げにタクシーに乗り込み、家に帰り初夜を迎えた……。

あきら君、えみこちゃん、僕の妻はこんなたくましくて愉快な嫁です。非常識かな……。

おさむとみゆきちゃんの初夜。

結婚して2か月近くたつというのにまだ自分の両親のところに妻を連れて挨拶に行けてない。というか行ってない。コレはとんだ親不孝者だ。なので今回もうちの両親、あきらとえみこに、我が夫婦の生活をちょこっとだけ、ここで報告したいと思う。

上からバスト98―ウエスト90―ヒップ110の、紅のメス豚ともいうべきキュートな女、みゆきと結婚した僕だったが、交際期間は0日。

一緒に住むまでデートどころか二人っきりになったことがなかった。そんな二人が入籍して、同居を始めた。

当然、同居を始めた日がお熱い初夜となる。

職業が芸人という妻と僕がどんな初夜を迎えたのか？

ここ数年、バラエティー番組で「リアクション」という言葉を耳にすることが多いと思う。例えば、芸人さんが熱湯に入ったりした時に「熱い、熱い。おいおい！」とか、ドッキリを仕掛けられバラされた後の「聞いてないよー」ｅｔｃ。芸人さんにとってリアクションとは、それがいかに辛いか、厳しいかなどを表現するれっきとした芸なのである。高級焼き肉を食べて、その味を豊富なボキャブラリーで巧みに表現できる人とできない人がいるように、リアクションも同様だ。

で、うちの妻、美幸は、普段からリアクションする！　ということが身に染みついてしまっているので、せっかくの初夜の一つ一つにも、女としてでなく芸人としてリアクションしてしまうのだ。

真珠夫人を気取ってるわけでもないのに22歳にして処女という美幸の初夜。

家に帰ってきて、美幸は、お風呂に入った後、何故かベッドの前で体育座りを始める。

僕が明るく「よし！　やるか！」と言うと、美幸は敬語で「やりますかー、やっちゃいますかー」と返す。どう考えても新婚夫婦の初夜の会話ではない。

ベッドに入り、元ＳＰＥＥＤのｈｉｒｏを杵《きね》で3回ついたような可愛らしい顔を取り、唇を重ねる。キスもしたことない彼女は、唇をトガらす。漫画の中でしか見たことのない唇の形。

そんな美幸にキス……というかチューしているうちに、僕の股間の単4電池は単1電池に変身していた。この時思った。やっぱり妻を愛しているのだ！　と。

美幸は完全に緊張状態がＭＡＸを超え、ＳＥＸする前に汗ダラダラ。

こんな時、一声かけなければ！　と思い、「大丈夫だから」と男前のつもりのセリフを吐くと、美幸は「無理っす！　無理っす！」。部活の後輩口調もおかしいが、無理とはなんだ！　せっかくの初夜なのにムードもコンドームもあったもんじゃない。

ゆっくりしてる場合じゃないと思い、とにかく一回彼女の中に僕の電池をセットしてしまえば、ちょっとはムーディーになるだろう！　と彼女のパンツを脱がし、足を持ってグッと広げる。すると妻は「あ～！　あ～！　あ～～！」とリアクション開始。

そんなリアクション取っていられるのもここまでだ！　と僕の刀を一気に挿そうとすると……。入ってもないのに、妻は大きな声で「痛い！　痛い、痛ーい！」とリアクション。僕が冷静に「まだ入れてないから」と言うと「すいません」と返す妻。

そして気を取り直し、もう一回刀をイ～ン！　しようとするとさらに大きな声で「イタ、イタ、アイタ――！」と上島竜平仕込みの大リアクション。

結局最後までこんな調子で、美幸は「アハン」「ウフン」も言うこともなく、最後までお笑いウルトラクイズ的リアクションで初夜を終えた。

僕もこんなに笑いながら、女の頭をハタきながらS・E・Xをしたのは初めてだった。

どうでもいいことだが、彼女はかなりの大きな声でリアクションしていたので、隣の部屋の人はもしかしたら僕がレイプまがいのことをしてるのでは？　と思ったかもしれないが、水沢アキの名にかけてそうではなかったことをここに誓う！

コレが僕と美幸の嘘0％の初夜物語。あきらとえみこは、どんな初夜を迎えたんでしょうか？

ちなみにこの初夜話を『ＰＯＰＥＹＥ』に書いていいか？　と妻に聞くと「ありがとうございます」と嬉しそうに答える彼女は血液から芸人になってしまってるのだろう。

新・鈴木家のハッピーなBGM。

家族と「屁」。俗名、おなら。屁が鳴り響く家庭かどうかで、その家の幸せの色が違う気がする。人の家の子供にも平気で「チン毛、生えた?」と聞けてしまうデリカシー少なめの母、えみこを持つ我が家では、何故か子供の頃から僕は屁の音を聞いたことがなかった。

それは、父あきらに問題がある。

土曜ワイド劇場の無駄なエロシーンが始まるだけでテレビのチャンネルをさりげなく変えようとする性格のあきらにとって、昔から彼女の前で放屁《ほうひ》(おならをぶちかます行為)をすることなどどなかったのだろう。

だから我が家でも家族の面々が放屁をすることはなかった。

男性は、人前で屁ができるタイプとできないタイプにハッキリと分かれる。あきらは後者で、僕は前者、人前で屁をしたい派だ。にもかかわらず、一家の大黒柱が放屁をしない家庭において、家族の前で放屁をすることに抵抗があった。

そんな僕は、親戚の家に行った時、おじさんがケツをあげ「3、2、1、サンダーバード AGO!」と言いながら屁の音を鳴らし、奥さんが「もう馬鹿――――!」と笑っている光景にちょっと憧れたりもしていた。

そのストレスもあってか、僕は家以外では人前での放屁が大好きなBOYだった。高校生になり、彼女ができた頃にも、平気で彼女の前で屁をして、彼女が「もう、いやだ~」と言って笑ってくれるのを見て安心していた、というか癒《いや》されていた。

一人暮らしを始めてから、新しい彼女ができるたびに、その彼女の前で放屁するのは、その彼女がどんな性格かを見抜く、僕のちょっとした「放屁リアクションテスト」となっていた。

大概の女性は、僕の勢いのいい放屁に、笑って「いやだ~」「もう勘弁してよー」と言う。コレは合格リアクションだ。中には、笑顔もなく「私、こういうの嫌い」と言った女性もいた。人前での放屁活動を「こういうの」と言った彼女にもちょっとげんなりだった。

まだ好き嫌いをハッキリ言うのはいいほうで、Kさんという女性は僕の思いきりの放屁の後に、なんと聞いて聞かぬフリをしたのだ。つまり、僕が意図的にした屁をつい出てしまった事故的な屁なのだ! と間違った理解をした挙げ句、聞いて聞かぬフリという一番の生殺し行為に出た。コレは辛かった。

で！　交際期間0日でみゆきちゃんと結婚した僕は、同棲してから初めての放屁を妻の前ですることになる。職業が芸人の妻だから、嫌がることはないだろうと思いながら、いったい僕の妻となった女性が僕の放屁に対してどんなリアクションをするのか、興味があった。

そしてチャンスは来た。妻が僕の腰をマッサージしている時に屁がしたくなるという絶好の打席が回ってきた。

僕は思いきり放屁する。場外まで届くかのような快音！　それを聞いた瞬間、妻は「フン」と鼻で笑った。職業が職業だけにやはり放屁程度では笑わない。が、数秒後、いきなり立ち上がり「くっせーーー！　うわ、くっせーーー！　やば、くっせー！」と言って急に笑い出した。それを見た瞬間、少々リアクションのでかさにビックリしたものの、安心した。旦那の放屁の臭《にお》いを嗅いで「くっせー」と連呼できる妻は「ええにょぼ」だ！

その僕の放屁から数時間後、食事をした後に、妻がお腹を押さえ始めた。心配して声をかけると、妻は答えた。

「屁が出ます！　屁が出ます！」

おっと予告放屁だ！　今までに彼女の屁なんて聞いたことない。なのに妻となった女性のいきなりの予告放屁！　旦那も妻も笑顔で放屁できる家庭、素敵じゃないか！

僕は妻の旦那の前での初放屁に対して両腕を広げ、「さあ、僕の腕に飛び込んでごらん！」と言わんばかりの笑顔で屁を出迎えようとした。今、生まれんとする屁を……。
と、すぐに妻の顔色が変わった。
ん？　これぞまさにスカシか？　と思った瞬間、妻が叫んだ！
「すいません。出そうなのは屁じゃなくてうんこでした！」
妻はもの凄い訂正文を発表してトイレに走りこんでいった。
予告放屁だけでなく、予告大便宣言までご丁寧にしてくれる妻。
僕が築く新・鈴木家にはこれから素敵な音が沢山鳴り響きそうだ！

新・鈴木家、初の〝チン事件〟勃発！

自分の耳を疑いたくなるような事件が我が夫婦に起こった。

交際期間０日で結婚して、入籍後、一緒に住み始めたその日に初夜を迎えた僕らだったが、処女で、職業が芸人の妻だけに、「痛い！　痛い！　痛い〜」とリアクションをしてしまった話は以前したが、実はあの日、あまりにリアクションが大きかっただけに、ちょこっとＩＮして終了。つまり初夜未遂に終わっていた。それもそのはずで、その日まで二人っきりでいた時間もなく、心も打ち解けていないのに、そう交尾がうまくいくわけもない。だったらその前に結婚すんなよ！　と言われそうだが。

で、あれから２か月、僕らは夫婦として着実に進歩した。そしてある夜決めた！　「今日が初夜の雪辱戦だ！」と。僕も妻のみゆきちゃんも覚悟を決めた！　妻は「もう体に魔法の杖が入ってきても、前回のようにリアクションいたしません！」と誓ってのBED・IN！

が、今回も妻は「痛い痛い！」「来た来た〜〜」とリアクションをしてしまった。僕も笑いと性欲の境界線を行ったり来たりしながらも、青函トンネルを掘った男たちの話を思い出しながら、最後まで掘り続けた！　そして……なんとか貫通したのだ！　二人は心の中でテープカットをした。

そんなめでたい夜の1週間前、僕はヘルスに行っていた！　妻も公認のヘルスプレイ。1万5千円で快感をご購入していたのだが、初夜雪辱戦を迎えたその夜は、そんなことすっかり忘れていた！

そして、そんな熱いカリビアンな夜から数日たったある日、僕の魔法の杖に異変が起きた。もの凄い異臭と里芋のようなヌメり気。こ、これは噂に聞く性病か??

そう！　初夜雪辱戦の前にヘルスで1万5千円で快感とともに性病までご購入していたのだ。ということは、初夜雪辱戦のあの夜。つまりは妻のバージン喪失記念日に僕がゴールデンハンマーで性病を移してしまった可能性大だ！　なんて最悪な夫。

こんなことは隠していてもダメ！　妻にすぐさま報告した。「えー？」とびっくりしながらも、「ありえないっすよねー」と言いながら他人事のように大爆笑した！　僕はとりあえず安心した。人によっては阿部定よろしく、牛刀でカットしてやる！　という行動に出てもおかしくないくらいのことをやらかしたのだ。

翌日、僕は初めての性病科に行った。パンツを下ろして、自分の口で「私、チンコから異臭がするんです」と一人異臭騒ぎを報告する。と、医者から「残念ながら性病じゃないよ」と意外な言葉。「残念ながら」とはどういうことだ！　と思いながらも性病疑惑が消えた僕の顔からスマイルが。しかし、この異臭には理由があるはず。それを尋ねると、「確かに亀頭は腫れてるね。オナニーで激しくこすりすぎたりするとこうなるよ！」。

え？　この異臭は自分の自慰行為の仕方が原因？　まさにGショック！

15年以上行ってきた自分の一人Hのやり方がすべての騒動の原因だった！　なんてお恥ずかしいオチだなーと思っていたのだが……、その医者の判断は誤診だった。

僕が医者に行った翌日、妻も別の病院に行って念のため検査。病院から帰ってきた妻が、すぐさま僕の前に立ち「すんませんでしたー」と謝り始めた。

何を一人勝手に謝ってるのかと思ったら、いきなり……、

「感染源は私でしたー」と宣言。

イマイチ状況が理解できてない僕。続けて妻が一言。

「私、カンジタであることが発覚しましたー！」

カンジタとは、女性のヨッスィーではなくプッスィーが、不潔にしすぎるか、もしくは激しく洗いすぎたりして起きる、いんきんたむしのような病気らしい。

妻のヨッスィーじゃなくプッスィーはそんな病に冒されていたらしく、見事にバージン喪失した

夜に、僕のゴールデンハンマーにそのカンジタ君が移ってしまったらしいのだ！

初夜雪辱戦で処女喪失でカンジタ伝染。あまりにも情報量が多すぎる夢の一晩。僕は自分の耳を疑いながらも、妻が「感じてないのカンジタでした！」と恥ずかしそうに言った言葉に笑ってしまった。良かった、結婚して！　と改めて思った。

僕と妻、共に現在カンジタ治療中。

ちなみに妻の名誉のために言うが、妻は洗いすぎてカンジタになった派らしい。あくまでも自称だが。

オーティンポー事件、なのに胸キュン。

高校の修学旅行。バスの中で僕が買ったばかりのCDウォークマンを出して聴いてると、後ろに座っていた一人の女子（当時僕が一方的にちょこっとLOVEな女性）が座席から体を乗り出し、「あ、それ私とお揃いじゃん」と言った瞬間、胸キュンが体に走ったのを覚えている。

で、前回、妻がまさかの病気、カンジタにかかっていたことが発覚したのはお知らせした。性病というか婦人病というか、つまりはアッシーでもメッシーでもなくプッシーにカビが生えてかゆくなる病気。男でいうといんきん・たむしのような物。そんな病に高校の頃からかかっていたにもかかわらず、つい最近産婦人科の診察でそれが発覚。

というのも、妻と入籍、初の性交渉により、僕の暴れん坊のサインペン（以下、医学名のオーティンポーと明記）がものすごいかゆみと異臭を放ったことにより、妻も病院に直行。その結果わかったこの病。その妻のカンジタがゴールデンハンマーよろしく、「みゆきちゃんのカンジタがおさむ君に移動！」しちゃったのだ。

妻は、その日以来、産婦人科に通った。そこでもらった塗り薬を付けることにより、かゆみもおさまり、病状はいい方向に向かっていた。しかし、僕のオーティンポーは妻とは逆にかゆみを増すばかり。お小水をするたびに、尿道にアリが這《は》っていくようなむずがゆさが走る。なのに僕は大事な息子をほうっておいた。

そしてある日、病院から帰ってきた妻が僕に言った。「先生が今度ペニスを見せに来なさいって言ってました」と。いきなり伝言でペニスを見せろとは何だ！　しかも命令形！

妻がご親切に、僕の病状を話した結果、そんな命令形になったらしい。しかし！　相手は産婦人科だ。当然先生も女。看護師も全員女。患者も全員女に決まっている。あんなところにカップルで来ている患者なんてまずいないはずだ（これは僕の勝手なイメージだが）。当然行きたくない。が、妻が予約を入れちまっていた。

仕方なく、次の日の朝、妻と一緒にその病院に向かった。行きのタクシーの中で、大きな不安が僕を襲った。それは、先生も女、周りも全部女。ということは、「診察中ギンギンになったらどうしよう！」という不安。超マゾの僕が、シラフの状態で、オーティンポーを見せるなんて医学の名の下のちょっとしたＳＭ。

そんなことを想像しただけで、自然と僕の警棒はちょっと伸びてくる。不安だ。そんな恥をかきたくない。

病院に到着してみると、やはり患者は女だらけ。しかもこの日に限って混んで、10代から40代まで女性が色とりどりいやがる。

妻と一緒に病院に入っていくと、全員が同時に僕を見て、すぐさま見て見ぬフリをしやがった。するとと次の瞬間、妻が機転を利かせて、待合室の本棚に置いてある『子供の名付け辞典』をさっと手にした。

なるべく奥の椅子に座った後、妻がつぶやく。「これだったら妊娠した妻についてきた心優しい旦那だと思われますよ」。そんなアピールが届くのかわからないが、なるべくいちゃいちゃして幸せぶりを演出。

そんな必死のアフターを続けること15分。「鈴木様ー」とアナウンスが聞こえる。いよいよ出番だ。こっからが本番だ。鈴木家の威厳を守るためにも、絶対、勃《た》ってはいけない。『買ってはいけない』という本はあったが、『勃ってはいけない』という本はない。本はないが、必死に、心の中でJr.に向かって「勃ってはいけない」と呪文を繰り返した。

緊張MAXの中、病室に入ると、白衣を着た長髪の女医。年の頃50ぐらいか？　ラッキーなことに、メガネをかけた岡本信人（『渡る世間は鬼ばかり』）のような顔をしている。その女医（以下、女だが信人と記す）が言った。

「はい、ペニス」

脱げとも見せろとも言わず、「はい、ペニス」。「はい、チーズ」以来の短い文章。僕のオーティンポーに向かって偉そうな口ききやがって！　と思いながらも、僕はドキドキしながら、Gパンのベルトを取り、パンツに手を掛けた。この信人だけだったらギンギンになることもないのだが、よく見ると、周りにいる3人の看護師はみんな若くてちょっとキュート。見れば見るほどAVビデオに出てきた女優（及川奈央）に見えてくる。マズイ！　パンツを脱いだ瞬間、ちょっぴりエレクトした。ピ〜ンチ！

白昼堂々出した僕の可愛い息子がじっと見られている。こんな辱《はずかし》め、たまら〜〜ん！　と思った瞬間、信人が僕のオーティンポーを見て言った。

「入り口、カビ生えてるね……」

その一言で僕と息子は我に返った。そして信人がかぶせる。

「たぶん、おしっこもカビだらけだよ！」

人間として言われたくない言葉をクールにどんどん浴びせてくる信人。こうして僕の診察は終わった。

飲み薬と塗り薬をもらった僕は妻と一緒に病院を出てきた。

カビティンコーになったことをイマイチ受け止めることができない僕に妻が笑いながら言う。

「一緒に治しましょうね」。誰のが移ったと思ってんだよ！　と言う前に、妻が僕が手に持っていた塗り薬を見て言った。

「私とお揃いですね」

その瞬間、胸がちょっとキュンとした。手に持ってたのはオーティンポーに付ける薬なのに……。

いよいよ結婚報告に実家を訪れた日。

人によってシャレが利く範囲は違う。「フケたね〜」と冗談で言ってるのに本気でムッとする女。ショートヘアにしたので「ピーターにそっくり！」と言っただけで激怒した女。ちなみに、ついに体重80kgを超えた僕の妻のみゆきちゃんは寝顔が内山（信二）君にそっくりになってきたので、そのことを通告すると、笑って「ありがとうございます」と言った。

世の中意外とシャレが利かない人が多い中、僕の母、えみこはかなりシャレが利く。なんといっても僕が乳首に開けたピアスを初めて見せた時に爆笑する母だ。

確か、アレは僕が小3ぐらいの時、照れ屋の父、あきらが一人で風呂に入っているところに、突如、えみこが全裸で入っていき「サービスしますよ〜」と叫んでいたのを覚えている。近くで見てた僕を笑わすためにそんなことをした。

そんなシャレが利きすぎる母もこの日ばかりは笑わないのでは？　という日がやってきた。妻のみゆきちゃんを初めてあきらとえみこに会わせることになったのだ。結婚して3か月以上もたつのに仕事が忙しいという理由で、自分の両親に妻を一度も会わせてない。

えみこはテレビで妻の顔は確認したようだが……。ちなみにその時、電話で僕に言った感想は「健康そうでいい子じゃない！」。女友達に、知り合いの女を紹介してもらう前、「その子かわいい？」と聞くと「う～ん、チャーミング！」と言われた時以下の褒めてない褒め言葉。普通の親だったら激怒していいこの状況。さすがにめでたいこととは言え、笑って許してくれないかなと思い、妻を連れて実家に向かった。

到着したのは夕方。玄関を開けた瞬間、そこにはえみこにあきら、そして姉のあつこもこの日のために東京から戻ってきていた。しかも姉の旦那に二人の子供までご丁寧にいるじゃないですか。すかさず、「僕の妻」と紹介すると、一同、「はじめまして」と言ってニコニコ。結婚して3か月たつのに「はじめまして」と言うのはみんなどこか納得できてなかったはずだ。

ちなみに妻の髪型は現在、坊主頭のてっぺんに一本だけ三つ編み髪の毛がついている弁髪《べんぱつ》状態。わかりやすく言えばラーメンマン風。

そんな髪型を見ても、みんな見て見ぬフリの中、甥っ子がうちの妻を指して「男？　男？」と無邪気に言っている。そんな子供の口を必死に塞ぐあつこちゃん。

微妙に気まずい空気が流れる中、全員で居間に座ると、そんな空気を壊そうとしたのか、父のあきらが「こないだ夜中、テレビ出てましたね」と言った。よかれと思って言ったのだろうが、そのチョイスは最悪。なぜなら、その出てたテレビというのが、みゆきちゃんが、ブリーフ一丁で上半身を出して亀甲《きっこう》縛りされて踊る！　という衝撃映像だったのだ。もちろん、僕はそんな妻の姿をテレビで見て大笑いしていたが、あきらもよりによってこんな時にあの衝撃映像のことを言うことはない。明らかなバッドチョイス。

しかし、そこでえみこが笑顔で言った。「あれ、面白かった～。SMのヤツね」。シャレの利く母を持って良かったとこの時ほど思ったことはない。その一言で空気が一変。それからは微笑ましい会話が続いた。

実は実家に行く前、妻に宿題を出した。それは、挨拶に行ったらどこかでうちの家族を爆笑させて！と。

で、その時がやってきた。幸せな会話が続く中、妻が僕の目をチラッと見た。次の瞬間、妻が母えみこに頭を下げて言った。「おさむさんをください！」と。説明しなくてもおわかりだと思うが、普通は僕が妻の実家に行ってやるべき行動を妻が旦那の母親に向かって言っている。そんな姿に、あつこもあきらも大爆笑！　これは大成功！　と思ったらただ一人笑ってない人、母のえみこが、「ムコはダメよ！」とキツイ口調で言い放つ。一瞬にして空気が凍る。

そこで思い出したのだが、初めて結婚することをえみこに伝えた時、「結婚はいいけど、ムコに行くのは絶対ダメ！　鈴木家の墓を守るのはあなただから！」と電話で言われたのを思い出した。「墓を守る」なんて言葉、冗談と思っていたのだが、どうやら本気だったのだ。

笑顔の消えたえみこに、僕が「冗談に決まってんじゃ～ん」と言うと、急に笑顔になって「そうだよね！　そうだよね！」と言ってはいたが……。「墓はあんたが守らないとね」と最後にダメ押し。

あんなにシャレが利く人にも、「墓場」に地雷が埋まっているとは思わなかった。

そんな両親への挨拶が終わった後、自分の部屋にいた95歳のおばあちゃん、ぎんちゃんにも結婚の報告。ぎんちゃんには僕が結婚したことも報告してない。その日は体調が悪かったらしく、ベッドでテレビを見ていたぎんちゃん。部屋の扉を開けて僕の顔を見るとものすごい笑顔。僕に続いて部屋に入ってきた正体不明の人間（妻）の顔を見て今度は「？」顔。

僕がラーメンマンヘアの妻を抱きしめて「俺、結婚したんだ！」と報告。その一言で、ぎんちゃん、いろんなことが頭の中で整理できなくなったのか、目を閉じて寝たフリを始めた。寝たフリを本気でする人を僕は初めて見た。

あの報告からしばらくたつが、いまだにぎんちゃんは僕の結婚を信じてないらしい。

黒いブラジャーとdj hondaが揺れた日。

愛する人の前で恥ずかしくてできないこと。鼻をほじる。屁をする。彼氏の家ではトイレ行けない、なんて人もいる。

うちの妻、みゆきちゃんは、僕の前で恥じらうことなくどんなことでもする。仕事から帰ってくるとまず、ティッシュを鼻の穴に突っ込んで鼻の掃除。威勢のいい放屁はもちろんのこと、トイレに行く前には「でかいうんこしてきま～す」と大便宣言してトイレに行く。

芸人という職業柄もあってか、男に近い……というより男以上に、愛すべき人の前でも恥じらいがない。

でも僕はそのほうが楽だ。逆に、すべてをさらけ出さない恥じらいだらけの女と付き合っていると、「こいつはどこで鼻くそをほじっているのか？　いつ鼻毛を切っているのか？　もしかしてこうして僕と話をしている時も、スカシッペをしてるんじゃないか？」なんて気になったりする。イコール、そんな彼女の前では僕も自分をさらけ出せなかったりする。恥じらいがあっていいのはＳＥＸの時だけ！（僕のルール）。

一緒にいて楽な恥じらいのない女。それがうちの妻だ……と思っていたら、そんな妻にも恥じらうことがあったのだ。

一緒に暮らして数か月。僕はあることに気づいた。干してある洗濯物の中に、妻の下着を見たことがなかったのだ。なぜだろう？　もしかしてノーパン主義？

僕は聞いてみた。「なんで下着干してないの？」。妻は「ついにバレたか」とつぶやき、その後に言った。「恥ずかしいんですよ」。

恥ずかしい？　テレビで全裸女体盛りを披露してたような女から出た意外な言葉に僕は驚き、事情聴取を続けた。すると知らなかった事実が続々出てきた。

結婚して一緒に住んでから一度もうちの洗濯機で洗ったことがなく、下着だけは近くのコインランドリーに行って、こっそり洗って乾燥機にかけていたらしい。

その話を聞いて、「うちで洗え！」と命令しても「嫌だ」の一点張り。

大便宣言をする女なのに、下着を干すことに恥じらいを感じる。普段から芸人として女を意識させずにやってきた妻が、下着……という最も女を表現してしまうツールを部屋に干しておくことに恥じらいがあるなんて気づきもしなかった。

その後も妻は下着を干すことはなかったのだが、ある時、妻が家に帰ってくると、「凄い買い物をしてきました」と言って、袋からある物を出した。それはなんと黒いブラジャーに黒いパンティー。値段は1万もするらしい。脇がレースがかっていて、柴咲コウあたりが着たら、日本中の男が勃起して歩けなくなるようなしろもの。

今まで500円以下の下着しか買ったことのない妻の思いきった買い物。

この時思った。妻が下着を干すのが嫌だった理由の一個に、自分が今まではいていた安っぽい下着を見せるのが嫌だったのではないか？　と。

その後、僕が頼んでもないのに、その黒いセクシー下着を上下着て現れた。

「どうっすか？」

うちの妻は結婚してから更に体重も増えて現在80kgオーバー。バストもなんと104cmに発達していたものの、Bカップ。

食べて体をでかくした2年目のプロレスラーのような肉体に、黒い下着が「勘弁してください」と言わんばかりにギューギューに引っ張られ張り付いていた。

パンティーもブラジャーもギューギューに肌に食い込み、その肉体はもはや、切る前の紐が結んであるチャーシューのようになっている。妻なりの必死のフェロモン増量作戦。

僕はその姿を見て、腹が割れそうになるほど笑った。と、でかいチャーシュー、もとい妻は、声を荒げて叫んだ。

「てめーのために買ってきたんだろうが」。それでも笑う僕を強く引っぱたく。

その後も……、

「興奮しろ、こら」

はない。

「勃起していいぞ」

「勃てよ、こら！」と無茶な命令をする。が、そんな命令で勃起できるほど僕の息子もお人よしではない。

妻は「そんなにおかしいか？」と頭をひねりながら、自分の姿を鏡で見た。と、「ホント、チャーシューみてーだな」と大爆笑。「これじゃ勃起は無理だな……」と言って服を着始めた。

笑い疲れた僕に妻がもう一個の袋を出した。そこにはトランクスが入っていた。近所のスーパーが閉店セールで1枚400円で売っていたので買ってきたらしい。自分は高額の下着なのに、僕は1枚400円。

しかも、そのトランクスの一枚、よ〜く見るとあるマークが入っている。そのマークは「dj honda」。

一時期イチローの帽子でおなじみになったdj honda。最近はイチローもかぶらないdj honda。400円で売られていることに大いに納得しながらも、面白かったので、はいた。こうなったらチンコでスクラッチだ！　いまどきdj hondaを体に背負っているのなんて僕とdj hondaくらいだからだ。

そんな日の2日後。お昼頃、起きて洗濯物が干してある所を見た。するとそこには、僕のdj hondaのパンツと、その横に黒い下着が風に揺れていた。

妻の初めてのブラ干し。勇気を持って前に進んだようだ……。

新妻みゆきちゃんのクリスマスプレゼント。

人にプレゼントをあげる行為は、そのプレゼントに自分のセンスがさらけ出されるため、非常に危険なモノだ。たった一回のプレゼントのせいで急に見る目が変わったりする。

僕の父、あきらは非常にプレゼントセンスがない人だ。僕が小学校1年生の時のクリスマス。サンタさん＝父親だという意識はあった。

当時僕が欲しかったものは、6段式筆箱。今のヤングガイたちはご存じないかもしれないが、筆箱に消しゴム入れ、定規入れなど、5個も6個も蓋《ふた》が付いていたもので、人類史上最も無駄な文房具。ただ子供は無駄なものを欲しがる。クラスにはまだ4段式筆箱を持ってるやつしかいなかったので、なんとか6段式を手に入れクラスのスターになってやろうと思った僕は、食事中など、「6段式筆箱が出たんだって～」とわざとらしくあきら（サンタさん）に話しかけたりして、クリスマスへのフリを作っておいた。母のえみこも、そんな光景を微笑ましく見ていたのを覚えている。

で、クリスマスイブの夜。僕は母と寝ていたので、枕元に、「12段筆箱をください」とサンタさん（父親）に手紙を書き、寝た。

目を覚ますと、大きな箱があった。汚い字でメリークリスマスと書かれたカード。明らかにあきらの字。僕は見て見ぬフリをして「あ～、サンタさんだ～」と喜ぶ演技。えみこも「いったい何くれたんだろうね～」と微笑む。

僕が6段式筆箱をイメージしながら、大きめの箱を開けると、中から出てきたのは……一冊の図鑑。しかも『人体の不思議』とでかでかと書かれた本。僕よりもえみこのほうがそれを見て思わず「え～～～?」と驚いている。僕が大人への不信感を抱いたのもあの頃からだろう。ちなみにその本には、子供をどうやってつくるのか? など、明らかに小学1年生に教えなくてもいい知識満載で、なぜにあきらがあんな物をくれたのか定かではない。

そんな父親だけでなく、僕が歴代付き合う女のコは、プレゼントセンスがないコが多かった。

中でも一番処理に困ったのは、高校の時に付き合ってたKさん。クリスマスの時に「これ着てね」ともらった箱を開けてみると、中から出てきたのはなんとオーバーオール。しかも色は白。特に僕はオーバーオールキャラでもないのに、なぜか突然のオーバーオール。オーバーオールほど着る人を選ぶ服もない。結局、一回だけその白オーバーオールを着てデートに行くという辱めを受けて、その彼女とはおさらばした。

ほかにもある。大学の時に付き合ってたコにもらったのは、なんとマイテープ。カセットテープに好きな曲だけを詰めてくれたのだ。ラベルには「マイベスト」と書いてあり、聴いてみるとものの凄い選曲センス。1曲目がマイケル・ジャクソンの「BAD」で始まり、最後がドリカムの「未来予想図Ⅱ」で終わるというな無国籍料理のようなラインナップ。全部聴くと吐き気をもよおす。

そんな、いらない物をもらってはリアクションに困ることが多かった僕だが、去年のクリスマス、妻にもらったプレゼントは、僕の人生史上、最も目を疑うものだった。

そもそもガッツ石松似の妻、みゆきちゃんは、クリスマスなどくそ食らえ！　の精神で生きてきたらしく、クリスマスが近づくと家でワム！の「ラスト・クリスマス」をかけたくなるようなわかりやすい僕とは正反対。

夫婦で初めて過ごすクリスマスなのに、「プレゼント何がいい？」と聞いても「クリスマス嫌いだから」の一点張り。

そんな中、クリスマスの数日前、妻がこっそり家を抜け出して、どこかに出かけていった。その怪しい行動に僕は気づいていたが、あえて何も言わなかった。

そしてクリスマス当日。僕が仕事を終えて帰ったのは朝の4時。妻は遅い夕食の準備をして待っていてくれた。僕は結局プレゼントが思いつかず、「今度一緒に買いに行こう」と言ったのだが、妻が「いらないです」と言う。

と、妻が「実は私からクリスマスプレゼントがあるんです」と意外な発言。その直後、突然服を脱ぎだした。え？　もしかして「プレゼントは私！」とか言うんじゃないか？　そう来たら、笑うしかない。覚悟を決めた瞬間、Tシャツとブラジャーを外した妻が、ゆっくり水牛のように近づいてくる。

すると、妻がくるっと背中を向け、「これがプレゼントです」と言った。妻の右肩あたりに、一文字500円玉くらいの大きさで、アルファベットの文字「OSAMU」と書いてある。色はオレンジだ。呆気にとられた僕は言った。「ペーパータトゥー入れたんだ?」と。妻は首を横に振り、ものすごい笑顔で……。「彫っちゃいました……」。

今まで生きてきて驚くことは何度もあったが、この時ばかりはホントに「え〜〜〜!」と声を出して驚いた。妻はクリスマスが嫌いだ! とさんざんフリを入れながら、こっそり彫り師のところに行き、彫っちまったのだ。しかも、彫ってから数日は結構な痛みがあったにもかかわらず、それを隠して、この日に臨んだ。そんな妻の体を張った決死のプレゼントに僕は大爆笑&今まで感じたことのない嬉しさを感じた。

妻はニコニコ笑いながらTシャツを着て僕に言った。

「おさむさんも彫りますよね?」

えっ……?

目黒川沿いの桜の下で、共同作戦NOGUSO。

夫婦のピンチ。もし僕の両親のあきらとえみこの元にこんなピンチが訪れたら、どうするのか？

それは日曜日の深夜23時過ぎ。

妻のみゆきちゃんと味の濃～い定食屋で飯を食った後、翌朝の朝食用の買い出しをしに、深夜までやっているスーパーに向かった。店内ではＲＵＩの「月のしずく」がかかる。飯を食ったために、妻の腸は激しく動き出し、曲に合わせて屁を連発。ここまでは休日の終わりかけにふさわしい、幸せな風景だった。

が、店内の曲がいつの間にか、「もらい泣き」（一青窈《ひとと よう》）になったのに気づいた時、妻も思わず涙顔。お？　まさしく、曲に涙をもらったか？　と思ったら、「お腹痛い……」。妻は食事の後、たまに急激な腹痛を覚えることがある。そしてすぐにトイレに駆け込む。妻は続けて言った。「すっごいうんこ出そう」。「うんこしたい」ではなく「うんこ出そう」と言われるほうが焦る。妻は近くにいた店員を捕まえ、トイレに走った。

店内の曲が「世界に一つだけの花」に変わった頃、すっきりした顔の妻が、「世界に～♪一つだ

け の糞～♪」と最低な替え歌と共に帰ってきた。

ここまでだったら、親戚一同に言ってても笑ってもらえる休日のエピソードだった。

買い物を終え、店を出て200mほど歩いた頃、妻が再び泣きそうな顔で言った。「うんこ出そう」。

スーパーから既に出て歩き出したことと、「お前さっきうんこしただろ～」という思いもあったので、僕は「大丈夫、大丈夫」と言って、歩き出してしまった。僕のこのジャッジに妻は「え～？ 大丈夫かな……」と言ったものの、付いてきた。

数週間で桜で満開になる目黒川沿いの橋の横をずっと歩いていく。ここをあと3分ほど歩けば家に着く。妻はそこでピタッと止まった。お腹を押さえて悲痛な表情だ。そして言った、「もう駄目」。そして「うんこ出ちゃう」。さっきは「うんこ出そう」だったのに、「出ちゃう」。しかし、まだ僕は妻の言葉を信じなかった。そうやって日常空間をドキドキさせるという妻の演出は嫌いではなかったが、早く家に帰りたかったので、「もういいから」と呆れ気味で言った。が、妻の顔を見るとどうやら演出ではない。ホントに「出ちゃう」寸前だった。

真っ暗な川沿いの橋。家まで3分。

近くにお店らしきものはなく、コンビニまで2分はかかる。もしこんな状況になった時、あなたが旦那だったらなんて指令を出すか？ ①そこでしろ、②家まで走ろう！

僕は当然②の指令を出したが、妻が一歩も歩けない。そして今まで僕にお願いなどしたことなかった妻が、一生のお願いという顔で言った。「してもいい？」。

相手と状況さえ違えば、とんでもなくピンコ立ちするようなセリフだが、「してもいい？」の前に付く言葉が「野ぐそ」なのだ。あなただったらどうする？　①ｙｅｓ、②ｎｏ。

僕のジャッジは当然②だ。「ダメに決まってるだろ」と言った時、妻が近くにあるマンションに近づいていった。「そうか、トイレを貸してもらうつもりか」と思ったら、駐車場の陰でズボンを脱ごうとしている。つまり臨戦態勢に入ろうとしている。

僕はすかさず妻を止めた。「人の家の駐車場でうんこすんなよ！」。声に出さなくても当たり前のセリフだが、妻は叫んだ。「だって出ちゃうの！」。

「もう漏れちゃう。ホント漏れちゃう」妻がフラワーロックのような怪しい動きを始めた。もう爆発寸前。

あなただったらどうする？　近くのマンションでトイレを貸してくれる人を探すには時間がないし、しかも深夜0時近くにインターホン鳴らして「トイレ貸してもらえませんか？」と言っても、怪しい奴と思われる。選択肢は①漏らさせて家に連れていく、②やっぱり駐車場でさせる。③橋の植垣の近くでＧＯする。

うんこを漏らした妻を家まで運搬するのはいやだ！　②もダメだ。もし、してる最中、家の人が出てきたら……。夫婦共々説教されるのはいやだ。というか通報されるかもしれない。

そんな時……。目の前に新聞が束になって捨てられていた。これは神様からの贈り物なのだ！

そうだ、そうしろということなのだ！　僕は橋の横にある植垣を指し、「ここでしろ〜」とGOサイン。幸い人の通る様子もない。妻は待ってましたとズボンを脱ぎ、でかいケツを植垣に向けて、「N・O・G・U・S・O」を始めた。こんな新妻の野ぐそを前にして、あなただったらどうする？　①逃げだす、②妻を隠す。

僕はなるべく妻が周りから見えないよう、壁になり、そして妻の頭を押さえ、もし人が通っても酔っ払いのゲロ吐きを看病しているようにしか見えない状況を演じた。デ・ニーロもののこの渋い演技のおかげで、1分ほどで妻の野ぐそは終了。

ズボンを上げて、すがすがしい顔の妻は「ありがとうございます」と頭を下げた。この後あなただったらどうする？　①殴る、②その他。

僕はこの共同作業で、なんとかピンチを切り抜けたことにちょっとした感動すら覚え、妻と握手し「あと数週間したら、この上に桜が満開になるんだよ……」となぜかポエムなことを言っていた。

もしかしたら、あの時のやり遂げた感って、数年後にあるであろう出産と似てるのか？　違うか……。

火葬場からメッセージ、「結婚式は挙げよう！」。

僕は去年（２００２年）の10月に結婚したが、結婚式は挙げていない。

そんな僕が今、声を大にして言いたい。

「結婚式は挙げたほうがいい！　しかも親族は全員呼んで」

突然そんなことを思ったのには理由がある。

先日、朝７時頃僕は台本書きに追われてパソコンに向かっていた。すると寝室で寝ていたはずの妻のみゆきちゃんが号泣しながら僕のところにやってきた。理由を聞くと、実家のおじいちゃんが危篤状態になったという。ここ一年病気と闘ってきた妻の祖父。おじいちゃん子だった妻にとって、いつかは……と覚悟していたものの、その知らせを聞いて、涙が止まらなかったのだ。

妻はすぐに一人で実家に向かった。その途中で、祖父は息を引き取った。昼過ぎ、妻から声にならない状態で連絡が入った。その日僕はどうしても空けられない仕事があったので、その２日後に行われた告別式と葬儀に親族として参列した。

が、その時、予想もしなかった事態が僕を襲った。葬儀場に着くと妻が一人出迎えてくれた。もう以前の明るさを取り戻している。そんな妻の笑顔を見て安心していると……その後ろから妻の父と母が走って現れた。「忙しいところ悪いね」と頭を下げる。僕は早速、線香を上げにいこう……と思ったところ、妻の父と母に「その前にちょっと……」と葬儀場に連れていかれる。

そこは葬儀場の休憩場みたいな場所。宴会ができそうな広さの畳部屋に親族、および町内会の人たちが集まっていた。もちろん全員黒装束。髪の毛をオレンジに染めたばかりの僕を親族が無言で見つめる。

と、妻の父が「みゆきの旦那です」と挨拶。そうだ。結婚式をやってない僕にとってはこれが親族との初対面。しかも葬式で。そうフラれたら挨拶するしかない。「え〜、鈴木おさむです。今後ともよろしくお願いします」。どう考えても葬式で言うセリフじゃない。だけど仕方ない。微妙な空気が流れるなか、みんながゆっくり頭を下げる。

すると、親族の方が一人ずつ寄ってきて、「みゆきのお母さんの妹です」などと自己紹介してくれる。葬式ではあるけれど、みな、小声で「これからよろしく」とか人によっては「おめでとう……こんなところでなんだけど」と口々に言う。葬式でおめでとうと言われるこの状況。その祝福の言葉に対して、普通だったら即座に「ありがとうございます」と言えるのだが、すぐ近くには棺桶が見える。祝福のありがたい言葉を、こんなにありがたくなく感じたのは初めてだった。とりあえず神妙な顔で頭を下げるしかない。

こんなことなら結婚式を済ませておけばよかったと思った。「盆と正月が一緒に来る」という表現があるが、この場合「結婚式と葬式が一緒に来た」という状況か？　しかも葬式のほうが占める割合がでかい。

そんな親族一同への挨拶が終わり、僕は親族として告別式に参加した。そしてその後火葬場へ。火葬している間に、火葬場の待合室のような場所で親族と参列者一同、喋ったりしている。なかにはその悲しみで涙が止まらない人もいた。

そんな場所に、一人の女性が妻のところにやってきた。その人はその火葬場の職員で年の頃20代前半。その人が妻の前で膝をつき、一瞬自分の耳を疑うかのようなお願いをし始めた。

「え～、こんな時に大変失礼なお願いとわかって言うのですが、テレビなどでのご活躍、同じ地元の人間として楽しみにしております。で、サインをいただけませんか？」

火葬場でサイン。ミスマッチにもほどがある。しかし、駆け出しの若手芸人であろうと同郷でテレビにちょっとでも出てる人はもはやスターと一緒。失礼とわかっていてのお願いなので断るに断りきれず、妻も「はい」と言ってサインを書く。と、その職員の方、「こちらも」と言ってインスタントカメラを出した。こともあろうに火葬場の待合室の一角で一緒に記念写真。しかも妻は芸人である！　という宿命からかカメラのフラッシュがたかれた瞬間、ピースをしてしまっている。

自分の祖父の火葬の最中に記念写真&ピース。信じられない光景に僕は声が出なかった。そしてその職員の方が深々と頭を下げ帰った後に、その待合室の場の空気がかなり変わった。

写真撮影した後に、親族の数人がバッグからカメラを出し、「みゆきちゃん、私も……」と言って写真撮影を希望。しかもだ、「さあ、旦那さんも」と一緒に写真を誘われる。普通だったら結婚式で行われるはずのそんな行事が、こともあろうにこんな場所で。

親族の方が次々にカメラを出して妻と僕と写真を撮る。場所が場所でもとりあえずみんな明るい笑顔での写真撮影。僕も最初は戸惑ってはいたが、今後いつこんな機会がくるかはわからないと思い、途中から割り切っての笑顔。黒ネクタイをしているのに笑顔。火葬場で笑顔。

その後、葬儀まで順調に進み、無事終わった。

火葬場での写真撮影という、ドリフの「もしものコント」でも見たことないまさかのイベントによって、正直親族の方々との親近感もわいたのは事実。もしかしたらこれは妻の祖父がくれた最後のプレゼントだったのかも……。

とはいえ、もう一度言う。結婚式は挙げよう！

みゆきちゃん、まさかの〝おめでた〟!?

物を買うのにドキドキすること。昔はあったが最近はなくなった。

中1の時に初めて近所の本屋で『熱烈投稿』というエロ本を買った。いつもはマンガ雑誌しか買ってないその本屋での初めてのエロ本購入。ある意味それは、その本屋の店員に自分も「自慰」を始めました！　という宣言でもある。

エロビデオも同じ。すっごい見たいビデオでも、レンタルビデオの店員が、ちょっと若めの女のコだと、エゲツないタイトルは避ける。見ず知らずの人に「オレは変態じゃないぞ！」というアピールからだ。別に他人なんだから、そう思われてもいいのに。人間って「半分ふ・し・ぎ」（ＣｏＣｏ）。

初めてコンドームを買った時は、羞恥心だけじゃなく、ちょっと誇らしげな思いも交ざっていた。本日チンコに装着する物を堂々と買っているのだ。しかし、それを高校生で買う時は、「オレはもうやってんだぜ、おばちゃん！」という誰も誉めてやくれない手のひらサイズの自慢。

そんな今、僕はスカパーに入って、24時間エロ番組自由自在となった。今の自分にとって、恥ずかしい買い物などなくなった、ムテキング状態なはずなのだが、こないだ久々にそんな買い物での小さなドキドキを体験した。

その買い物とは「妊娠検査薬」だ。結婚してから、妻の仕事の関係もあり、「外出し（医学用語？では膣外射精）」という最低限の避妊法で子供は作るまいと思っていた僕とみゆきちゃん。ある時、みゆきちゃんが言った。「お腹にいるような気がするんですよ」。23歳にして体重80kg。タバコだけじゃなく、太めのマジックまで腹の間に挟める、マンガのような三段腹を持つ素敵な妻が、自分の腹を出して言った。腹が出すぎて、ヘソが自動販売機のコイン投入口のように広がっている。

妻はなぜそのようなことを言い出したのか？　生理が来ないのか？　つわりか？　理由を聞くと、最近食欲が激しいのだという。確かに妊娠すると異常に食欲が増すというのを僕も聞いたことがある。

しかも、妻は実家の母に電話して、妊娠した時の食欲リサーチをしたら、まさにビンゴだという。妻はたっぷたっぷにたるんだ腹を見せながら、妊娠だ！　宣言。僕が笑いながらその腹を叩くと「おなかの子がかわいそうでしょうがーー」と叫ぶ。

普段からお代わり自由の定食屋で僕よりも先にご飯をお代わりしてしまう妻のそんな発言。信じられるはずがない。1日4食だったのが、最近は5食。自分の統計から見てもこんなに食欲が激しいのはおかしいという。体重も1週間で2、3kg増えた。三段腹が夢の3・5段腹になっている。

そんな話をされて、僕も「まさか」と思い始めた。すると妻は「買ってきて」と言う。「何を?」「妊娠検査薬」「えーー?」。

30年間生きてきて、僕の人生の中で妊娠検査薬を買ったことはなかった。

妻の妊娠疑惑を解明するためにもそうするしかない! と一人薬局に向かった。

テレビで全裸になれる妻も、薬局で妊娠検査薬を買うのは恥ずかしいのだと言う。が、妊娠検査薬を買う男のほうが、もっと恥ずかしい。

エロ本、エロビデオ購入=一人H。コンドーム=SEX。妊娠検査薬=はらませた。そんなイメージがあるため、一人で買いにいくのがイヤなのだ。

薬局に着き一人で入る。まず困った。場所がわからない。店員さんに「妊娠検査薬どこですか?」と聞きたくない。きっと奥まった場所にあるはずだと奥のほうに行くが、見つからない。一体、どこに! どこにいるんだ、妊娠検査薬は~。藤岡弘探検隊気分で探していくと……。妊娠検査薬は意外な所にいたのだー!

なんと入り口横。女性生理用品の横に何種類か置いてあった。こんなカジュアルな場所に置いてやがったのか?

何種類かある検査薬。気になったのは、そのうちの一個に「お徳用」と書いてあったことだ。人生を占うであろう検査薬に「お徳用」は駄目だろと思い、中で一番高いやつを手に取り……。いよいよレジに出した。

運悪く店員さんは20代前半。しかも美形。店員が淡々と袋に入れる。その袋は、コンビニでナプキンとか買うと入れる中身が見えない紙袋。そんな袋に入れられることで、なんか罪悪感があおられる。しかも美形店員はポーカーフェース。こういう時、心の中でなんて思ってるのか？「こいつ責任取らなそ〜」って思ったりするのか？　そんな辱めを受けて、僕の初妊娠検査薬購入が終わった。

家に帰って妻に渡す。

運命の瞬間だ。妻がそれを手に取りトイレに行く。その検査薬に尿をかけ「＋」と出れば妊娠。「－」と出れば違う。妻がトイレの扉を閉めてからがもの凄く長く感じる。

ちょっとして妻がトイレから出てきた。リビングで待っていた僕のところに妻がやってくる。そして目を合わさずにキッチンに行った。

僕がたまらず「どっちだったんだよ」と聞くと……、「まあ、＋に見ようと思えば見えるんだけどな〜」。つまり「－」。

その数日後、妻の生理もやってきた。

そんな妊娠騒動の後に残ったのは妻の増えた体重と3・5段腹だった。

おさむ&みゆき、警察のご厄介になる!?

「警察」の前を通る時、みんな何も意識せずに普通に通り過ぎることができているのか? 僕には前科もない。悪いことをしてもいない。が、警察の前を通る時ってなんか〝緊張〟する。

それは中学生の時、先生に用があって職員室に入る時と同じような緊張感。

つまりは、何かを注意されるんじゃないか? という緊張感。小さな恐怖感とも言うべきか? もしかしたらオレンジ色に染めている髪の毛を注意されるんじゃないか? ガムを噛《か》んでたら怒られるんじゃないか? 仕事をサボってエロDVDを借りに行ってることがバレて怒られるんじゃないか?

そんなこと言われるはずもないのに、言われる気がする。金八先生の中では警官があんなファニーな存在なのに、僕の中では〝緊張〟な相手なのである。そんな人、少なくないはずだ。

先日、友達10人ほどと飲みに行き、2軒目のお店のカラオケボックスに移動することになった。

妻のみゆきちゃんは仕事の都合でその2軒目の店から合流することになった。

タクシー3台に分かれてその店に移動する。僕らの乗ったタクシーは一番遅くその店の近くに着いた。

タクシーから降りて店まで歩く。するとその店のすぐ近くに交番があり、そこに人だかりができている。その人だかりの中には先に着いていた友達もいる。友達が大声で僕を呼ぶ。

「早く早く！」

僕にとっては〝緊張〟を与える場所でしかない警官がいる交番。近づきたくないのに友達が呼んでいるので仕方なく歩く。何が起きてるのか知らないが「この野次馬どもが……」などと思いながらその交番に着くと、そこには自分の目を疑う光景があった。

なんと、自分の妻であるみゆきちゃんが交番の中で警官に説教されているのだ。

妻は椅子に座り、下を向いて何度も謝っている。

自分の奥さんが交番の中にいる。

ありえない状況だ。こんな時、夫として何をすべきか？　とりあえず友達に事情を聞いた。

その交番の横は一方通行。交番から僕らが向かう店までは10ｍ弱。妻はバイクでその店に向かったのだが、その道を一方通行だと知ってか知らずか、バイクから降りずそのまま逆走してしまったのだ。

そんな姿を目撃していた警官は、妻の肩をポンと叩き「署まで来てくれるかな」と御用になってしまったというわけだ。

で、交番の前に人だかり。妻はまだヘルメットをしたまんまだ。警官に怒られているのにヘルメットをしたまんま。友達が大声で「ヘルメット取れ！　失礼だぞ！」と叫ぶ。妻もその声を聞いて、ヘルメットを脱ぐ。が、妻の髪型は坊主頭に馬のしっぽが付いてるようなラーメンマンヘア。その髪型を見た瞬間、友達は「もっと失礼だーー」と実況。そんな騒ぐ友達を見て警官が閉めてたガラス扉を開け「うるさい！」と怒鳴る。当然だ。

僕は事情を一通り飲み込めたものの、旦那として、このまま見ているわけにはいかないと思い、勇気を持ってガラス扉を開けて中に入っていく。

警官が「何？」とにらむ。

オレンジ色の髪の毛のヤツがいきなり入ってきたのだからその対応も当然だ。僕は言った。

「旦那なんですけど」

僕は一緒に怒られるつもりでその言葉を言った。が、返ってきたのは意外な言葉。

「だから？」

病院に行って「ちょっと風邪気味なんですけど」と言った時に「だから？」と言われたような感じか？

その予想外の言葉に僕は言葉を続けられなかった。おそらくその警官は僕のことを酔った友達の悪ふざけだと思ったのだろう。

僕が「いや、旦那なんで、心配なんですけど」と当たり前の言葉を続けるとようやく信じてくれたのだろう。「今、切符を切るか切らないか決めてるところだから」と言った。

その言葉で「そうか、まだ悩んでるのか？　だったらもっと謝ればどうにかなるかも」と思い深々と謝ろうかと思った瞬間、友達が「『だから』はねえだろ！」とフっかけてしまった。

その瞬間、僕はそいつの口を押さえて謝った。よくドラマなんかである光景だが、人を黙らせる時にホントに口を押さえるんだ！　とアナログこそベスト！　と体感。

警官はムッとしながら扉を閉める。

それから2分ほどして、妻が深々と頭を下げて出てきた。

警官会議の結果、あまりにもヘコんでる妻を見て、なんと切符を切らずに許してくれたらしいのだ。その瞬間、生まれて初めて警官に対して〝感謝〟という思いがわいた。

やっぱり警官も人なんだ。

僕はヘコんだ妻を見て慰めようと思い、怒らずに「よかったね」と言うと、妻は顔をムッとさせて、

「おさむさんに対して『だから？』って言った時、キレようかと思いましたよ」

僕は警官のほうを向いて、そんな妻の頭をもう一度腕で押さえて強引に下げさせた。

怒る前に反省しろよ……。

あの交番の人、ホントお騒がせしました。妻も反省してます。マジで。

まさかの不倫。もしも、の結果は？

妻が旦那に隠れて家の中で秘密の電話。

この姿を夫が偶然目撃してしまったら、夫は何を想像するだろうか？　頭の中で小林明子の「恋におちて」が流れ、「不倫」の二文字が流れ始めるであろう。

体重80kg以上、顔がガッツ石松似の妻、みゆきちゃんを持つ僕が、まさかそんな光景を目にするとは思わなかった。

とある昼時。家でワープロに向かい仕事をしてる僕。と、ソファで雑誌を読んでいた妻の携帯に電話。妻が電話に出る。すると、どこかよそよそしい感じで「はい、はい。ちょっと待ってくださ い」と言ってリビングを出て玄関のほうに向かう。

その様は、会議中など、女から電話がかかってきた時に、ちょっと声がうわずりながら周りにバレないように取り繕う様子と似ている。

妻が10分ほど玄関近くでこそこそ電話をしている。それをこっそりのぞき見した僕の頭の中にかかる「恋におちて」。まさか！　雄豚の体にガッツ石松の顔を貼り付けたような素敵な女性と結婚

した僕も相当、「物好き」だと言われるが、そんな妻と不倫する相手……いるのか⁇

疑問が疑惑に、そして嫉妬に変わる。妻がソファに戻ってくると何もなかったかのようなポーカーフェース。が、どことなく罪悪感のあるような顔だ。

僕は思いきって聞いた。しかも明るく聞いた。「不倫ですか?」。

妻は「は?」と「?」顔。何の電話か尋ねるとごまかす。「いや、お前のことだから別にいいんだけど～」と別によくないくせにそんな言い訳を付けて尋問を続ける僕に、遂に妻が喋り始めた。

そして真実を聞き、唖然とした。

1か月ほど前、妻は滅多にやらない競馬で数万円勝ってしまい、その日友達と一緒に安い焼き肉屋さんに行ったらしいのだ。焼き肉をたらふく食った翌日。僕は仕事で2日ほど家を空けていたのだが、妻をおそろしい腹痛と吐き気が襲った。思わずトイレに行き嘔吐を繰り返す。妻は食中毒になった！　というのだ。

その原因は前日に食べた焼き肉で、腹が立ったので、その焼き肉屋さんに電話して「金を返せ！」と文句を言ったらしい。

が、店の店長も「うちのせいじゃない！」の一点張りで、それから連日、向こうの店長と電話での攻防が続いてたのだ。

憤慨しながら、そのことを話す妻に僕も同情した。……しかし、話を突っ込んでいくうちに、妻の主張に説得力がどんどんなくなってきた。

なぜなら……

一緒に行った友達は誰もそのような状態になってない。

その日、店に来た300人近くの客の中で同様の訴えをしている人は0人。

そして……

その日の焼き肉は、妻にとって5食目の食事だった！

単なる食い過ぎじゃないか！　僕は妻に言った。向こうの店長も同様のことを言ったらしいのだが、妻は興奮しながら主張する。「違う、絶対肉が腐ってたんだって」「ホルモン食った時に、なんか腐ってる味がしたんだって」。

「腐ってる！　と感じたなら、なぜその時、食うことをやめなかったのか？」と言うと「もったいないじゃん」と返す。最初妻にあった僕の同情は、この時点で、電話で文句を言われていた店長に移った。かわいそうな店長。

そんな妻の事情聴取中、妻の携帯が鳴った。あの店からだ。

僕は、ここで話せ！　と言ってその場で話をさせた。今度の電話相手は、その店の店長のさらに上の人。つまりは社長に近い人からの電話だ。店側は、もう一度全員と協議した結果、店の肉が腐ってたというようなことはない！　と言ってきた。

妻は最初は「腐ってたんだって」と反論していたのだが、その言葉がどんどん変わってきた。「腐ってた」「腐ってたに違いない」「腐ってたと思う」。明らかに妻が押されている。すると妻が驚く反撃をし始めた。

「もしも！　もしもそっちの肉が腐ってたとしたらどうする？」

もしもの話をされても無意味。

店側だって「もしも」の話をされても、答えようがない。

「もしも1億円あったら」「もしも優香と付き合えたら」「もしもピアノが弾けたなら」。「もしも」なんて言葉の後に残るのはむなしさだけ。

妻は納得しない感じで電話を切った。このまま放っておくと、毎日電話しかねない。下手すると脅迫で訴えられかねない。

僕はお願いだから、もう諦めてくれ！　と頼みこんだ。「もしもお前が脅迫罪で捕まったりしたら……」と、この場合の「もしも」は妻の「もしも」とは違う。可能性の高い「もしも」。

それから数日後、その焼き肉屋さんから封筒が届いた。妻がニコニコしている。「何それ？」と尋ねると妻は「店と和解しました」と言っている。そう。あの日の後も何度か電話して攻防が続いたらしい。その「お前の店の肉は腐ってる」クレームの結果の和解が、その封筒に入っている。おそらく店も、あまりのしつこさに音《ね》をあげて、これを送ってきたのだろう。

妻がその封筒を僕に渡したので、開けた。中から出てきたのは、その店の食事券1万円分。妻が言った。「今度行きましょうね」。

行けるはずがない……。

「カレーライスの女」。でも妻はトマサラの女。

あなたの彼女がとっておきのカレーを作ってくれました。一口、口に入れる。その味はまずくはない。でも、なんとなく違和感がある。ホントは足のサイズが26なのに、26・5のサイズの靴を履いたような違和感。できればもうちょっと味が濃いほうがいい。

この時、あなたは彼女に言えますか？「もっと味が濃いほうがいいな～」と。

僕は結婚前までは、付き合ってきた彼女が作った料理に対して、駄目出ししたことは一度もなかった。もちろん、彼女が作った料理に違和感を感じたことなど何度もある。みそ汁はもちろんのこと、唐揚げとかハンバーグなどの定番料理に、その違和感を感じることは多い。が、それを否定できずに「うまい！」と心にちょっとだけ嘘をついていた。

不思議なものだ。ベッドの上で自分のオーティンポーをリップサービスしてもらってる時は、平気で「もうちょい上」「もっと優しく」「裏のほうも」などと図々しく駄目出し&指図できてしまうのに、料理には駄目出しできない。なんでだろう？

料理とは、その人の味覚で味を決めていく。その料理を否定すること、つまりは彼女の味の「センス」を否定することになるのだ。

好きな女の「センス」を否定するってなかなかできない。それは料理だけじゃない。

例えば音楽。昔付き合っていた彼女の家に長渕剛のＣＤがズラリと置いてあった時は、その彼女のセンスにちょっと疑問を感じた。が、言えなかった。「長渕好きって……」と。

メールのセンスでも、それはある。彼女が送ってくるメールにやたら絵文字の顔マーク(*o*))^o^((--) (xx.) があると、センスのズレを感じる。特に悲しい顔マーク(;>_<;)には、なんか腹が立つ。

僕が過去一番センスの違いを感じたのは水着だ。当時付き合っていた彼女と海に行った。その彼女が着替えて出てきた水着は、ものすごいハイレグビキニ。しかも白。

そんな水着を着ている人が海辺で近くにいる分には嬉しい限りだが、それが自分の彼女となると話は別！　ということが初めてわかった。

まず、自分の彼女なのに目のやり場に困る。しかも、ハイレグのＹ字部分は明らかにＨＡＩＲを処理しないとはみ出すくらいの角度。なのに、綺麗になっている。ということは、この水着を着ている＝自分の彼女はＨＡＩＲの処理をしましたよー！　とアピールしてるようなもの。恥ずかしかった。が、「それはないだろ」と、彼女のそのセンスを否定する勇気がなかったのだ。

小さなことでもセンスを否定するって、その人自身を否定してるような気がして、なんかできないのだ。だから、料理の味にも駄目出しできない自分がいた。

で、結婚した場合はどうなのか？　周りの既婚者に話を聞くと、やはり結婚して数年たつが、奥さんの料理の味に違和感を感じながらも駄目出しできない人が結構いた。しかも、それって、月日がたつとストレスになってくるらしい。

夫婦生活において、小さなズレは数年後の離婚届を誘ったりするのかもしれない。

うちの妻、みゆきちゃんは結婚するまで料理をほとんど作ったことがなかったが、結婚してから毎日、本を買い込んで料理を作っていた。

最初に作った料理は焼きそばだった。初心者だから仕方ない。それを一口食べた時、まずくはなかったが、違和感は感じた。が、言えなかった。早起きして料理を作っているけなげな姿を見てしまったので、さすがに駄目出しできなかった。

それから毎日、料理を作ってもらっては食べて、違和感を感じていたが、駄目出しする勇気が出なかった。

そんなある日、妻が作ったトマトサラダ。「オリジナルのドレッシング作ってかけました」と言う。それを口に運んで僕は、２秒たってすぐに口から出して叫んだ。「まずい‼」。無意識に言ってしまった一言。妻も僕のそのリアクションにビックリ。

そのオリジナルドレッシング、中身を聞くと酢に砂糖を混ぜた、創作ドレッシングだという。しかも、そのドレッシングに限り味見ナシで僕に出したのだ。

トマトも酢も砂糖も一品ずつはうまい。しかしそれを混ぜ合わせて口に入れると、ゲロを吐いた後に喉元に残る甘酸っぱさを醸し出す。わざと作ろうと思ってもなかなかできない味だ。ある意味素晴らしい。

妻も口に入れて確かめる。２秒後「まずい！」と言って吐いた。

妻の料理に対する、僕の初めての駄目出しは、よりによって「まずい！」という最高の暴言。が、これが僕の気持ちを楽にした。

「まずい！」と思いきり言えたことで、その日から、妻の料理に対してちょっとした違和感を感じても言えるようになった。「まずい」と最高級の駄目出しをした実績があるので、ちょっとぐらいの駄目出しも難なく言える。言われた妻も、落ち込むことなく研究熱心にノートにメモっている。

これでうちの家庭の料理のストレスはなくなった。

これ読んでる女性も、恋人に作ってみてはどうでしょう！　トマトサラダ・ゲロ風味。ズレ、なくなるかも。

がんばれ、乳頭様！　もっともっと強くなれ。

さまざまな物事の限界について、人は体で感じながら覚えていくことが多い。

例えば、自分が酒を飲める量の限界。限界を超え、翌日ボロボロになった体を体験して、限界を覚える。

「酒を飲める限界」ではなく、「飲んでいい限界」なんていうのもある。ある一定量以上の酒を飲むと、記憶がなくなってしまったり、性格が豹変したりする。

狙ってる女のコと飲みに行った時に女のコから「私、これ以上飲むと記憶なくなるんだ〜」なんて限界宣言が出たりすると、男は、「大丈夫だって！　オレも飲むから」なんてやりたい一心でそのコを限界の向こう側へいざなおうとする。

我慢の限界なんて言葉もあるが、人がどのぐらいのことで怒るかも体感学習する場合が多い。

友達A君は、デブでアゴがしゃくれ、しかもここ一年、髪の毛が急激に薄くなっている。昔から、自ら「オレってデブだよな〜」「オレのアゴってしゃくれまくりじゃねえ？」と自ら笑っている自虐的なヤツだった。周りもそれを承知でそのことをイジっていたのだが、ある時、僕が薄くなった髪の毛のことをいじると、目つきが変わり「お前にそんなこと言われたくねえよ！」と激怒。A君の中で「髪の毛」は「限界」を超えていたのだ。以後、A君の髪の毛のことは誰もいじらない。

ここでA君の「限界」を学んだことになる。

限界を知らないということはとても怖いこと。あんまりケンカもしてなかったヤツに限って、酔ってケンカして人を殺してしまったりする。これは人をどのぐらい殴ったら、どうなってしまうのか？　限界を知らないから起きてしまう事故。

で、うちの妻、みゆきちゃんは、ブサイクという種族に属する女性で、僕と結婚するまでSEXどころか接吻すらしたことなかった（仕事でのキス、ペッティングは除く）。

妻は僕と結婚し、初体験を済ませた後に、自分の体を男性にタッチされると、気持ちんよか～！となることに気づいてしまったわけだが、特にある部分の快感に目覚めた。

「乳頭をさわる・つねるなどの行為＝体に走る快感」という公式は小学校高学年以上ならばほぼ知ってることだが、うちの妻の場合は、乳頭＝不自然な突起物……というくらいの意識しかなかったらしい。

で、結婚してその快感に目覚めた。結婚後にそれを知るというのもいかがなものかと思うが仕方ない。

夜、ベッドに入る。僕は肩こり&腰痛が激しいので、妻がいつもベッドで首と腰のマッサージ。で、それが終わると、妻が非常に業務的に「はい、じゃあこっちもお願いしまーす」と言って、パジャマの上着をパッと上げる。乳頭様のおでまし。

妻はリクエストする。「いつものお願いします」。飲み屋の常連がマスターに言うようなセリフだ。妻のリクエストにお応えして、妻の乳頭をつまむ。妻は「いいですね～～」と感想を述べる。なんか山本晋也監督の『トゥナイト2』のレポートみたいだ。

妻はSかMかに分けるとMに属す。僕もかなりのMなのだが、そんな妻は日ごとに乳頭様を「強めでお願いしまーーす」と業務的にリクエスト。強めでリクエストに応える。そしてまた「いいですね～」と山本監督チックな感想。

普通SEXに至るすべての行為は情熱的でなければいけないのだが、わが夫婦のSEXには、いつもどこかに「笑い」が存在してしまう。

で、妻の乳頭様への「もっと強くお願いします」というリクエストは毎回続いた。毎回続くということは、僕が指でつねる力も回を増すごとに強くなっていくのだ。つねり役の僕もある日心配になって「まずいでしょ！」と言うと「もっとイケる！　もっとイケる」と言う。この「イケる」という言葉もベッドの中では間違った使い方なのだが。

僕はリクエストどおり、力を加える。いつしか、その力はMAXに達し、僕はこのまま乳頭取れちゃうんじゃないか？　と心配するくらいの力になった。が、妻にとっては「いいですね～」なのだから仕方ない。

しかし……。妻が朝、僕を起こして「大変なことになりました」と騒ぎ始めた。一体、何が起きたというのか？　妻がパジャマを上げて、自分の乳頭様を見せる。

と、なんと！　つねりすぎて、乳頭様にかさぶたができてしまっていたのだ。しかも両方。かさぶたができた乳頭様は、まるででかい干しぶどう。いや、あられせんべいみたいだ。

今まで男性にボディーを触られたこともない妻は、自分の中で乳頭の限界など知らなかったのだ。「結構いい」から毎回強さを求めていったことがこのあられ乳頭だ。

僕は限界を知らないことの怖さを改めて知った。

妻は自分の乳頭様を見て「これじゃつねられませんね」と言う。当たり前だ。すると、妻は自分の乳頭に向かって「ったく根性ねえーなー」とつぶやいた。自分の乳頭に根性ねえと言う人を初めて見た。というか、根性ねえ！　と言われた乳頭も初めてだろう。

2〜3日して乳頭様のかさぶたが取れた。妻は言った。

「かさぶたが取れて大分硬くなりましたよ！　また今日からお願いします！」

そう！　限界を超えて、駄目になる場合もあれば、限界を超えて強くなることもあるようだ。

おさむ&みゆきの結婚記念品、欲しい？

コレを読んでいるボーイズの中で、親族以外の結婚式に出席した人はどれぐらいいるのか？出席したことのない人のために言っておく。結婚式の帰りに渡される引き出物に、決して期待してはならない。

引き出物というのは、たいがい新郎新婦が、結婚前に一緒に選びに行く。結婚前というのはある意味幸せの絶頂であると思う。男性は思い返してほしい。イった後より、イク直前が一番気持ちいということを。

結婚を射精にたとえるなんて最低かもしれないが、とにかく、射精直前のヤツらが買い物に行って、それを渡されるような物。幸せ絶頂の夫婦の愛の押し売りであり、つまりは、オナニーなのだ。そんな状態で選んでるからかもしれないが、中から出てくる品物に、心から喜べる人は少ない。中身は皿やバスタオルなどがよくある物だが、愛の押し売り品だと思うと、どんなにいい物でも、嬉しさも3割減。しかもご丁寧に、皿やバスタオルなんかに、「テツヤ&ケイコ」なんてプリントしてあったりする物が多い。

なぜこんなことをしてしまうのか。

他人の夫婦の名前がプリントされた皿に朝出されたサンマの塩焼きは、食欲減退させることに、なぜ気づかないのか？　引き出物と一緒にケーキなんかも入ってることが多い。そこには同じく「テツヤ&ケイコ」なんてチョコレートで名前が書いてあったりする。

誰がそんなケーキを喜んで食えようか？　少なくとも名前が書かれてる部分は犬の餌《えさ》にでもしないと処理しきれない。

あと、困るのは、写真が入ってたりする時。夫婦の記念写真だ。そんな写真をあげて、どうしてほしいというのか？　早い人は初日、平均3日、遅くとも次の引っ越しの時に確実に捨てられる。

僕が引き出物を、射精前の買い物、つまりオナニーにたとえた理由がわかってくれただろうか？引き出物なんて自分の快楽にすぎない。

開けた瞬間、「いらね〜」とか思われたりする。もちろん、それをくれた当人に言うこともできない。

で、僕ら夫婦の話になる。僕と妻のみゆきちゃんは結婚式を挙げてない。しかし、たくさんの人からお祝いをもらった。お祝いをもらったので何かお返しをしなければならない。結婚式でいうところの引き出物だ。

いったい何をあげようか？　悩んだ。過去に他人の結婚式で愛の押し売りぶりに迷惑している自分としては、他人に同じ思いはさせたくない。気を使って「あのお返し素敵だったよ～」なんて言わせたくない。

そこで考えた。どうせ「いらね～」って心で思われるなら、その場で開けた瞬間、声を出して「いらね～」って言える物をあげようと。

僕ら夫婦の愛の最高の押し売り品を作ろうと。

僕はすぐに友達のカメラマンに電話し、僕ら夫婦の写真を撮影してもらうことにした。そう。お返しの中身は写真だ。しかも、ただの写真ではない。ちなみに言っておくが、僕と妻の中でライバルは、ジョン&ヨーコ。

撮影当日、とある素敵なホテル。僕と妻はほぼ全裸でカメラの前に立っていた。素敵な不摂生生活のおかげで、31歳にして妊娠5か月の子供がいるような腹の僕と、23歳にして体重80kg。妊娠7か月のような腹の妻。ちなみに腹の中は胎児ではなく、脂肪だ。

僕ら夫婦は手に持ったリンゴでそれぞれ股間を隠している。あとは裸。

しかもカメラマンが僕に「男らしさが足りない」と、リンゴの周りにつけチン毛を足す本気ぶり。夫婦、ぶよぶよの全裸でカメラの前に並んで、股間をリンゴで隠して立っている。よく言えばアダムとイブ状態。

で、その写真。写真として渡すだけでは、まだ愛の押し売り度が足りない。と思い、お皿にプリントアウトした。このお皿の上にたんまりとサラダをのせて、食べ始める。しばらくして中から出てきた写真に、思わず吐き気と怒りを催す。そうなってくれれば幸いだ。どうせ心の中で「いらね～」と思われるなら、声を出して「いらね～」と言われたい。

この作戦は当たった。

皿が完成し、ご祝儀をくれた人に配った。「いらね～」の連発だ。

しかも、これはウケを狙ったものなどではなく、あくまでも僕と妻は本気。まるで『トリビアの泉』の「へ～」のように「いらね～」がどんどん出てくる。その場に置いて帰ろうとしたヤツもいる。ここまでくると気持ちいい。

が、この皿がちょっとした問題を引き起こした。この皿を親や親戚には渡していなかったのだが、僕が田舎の友達にあげた物が、まんまと僕の両親に流出。もの凄い怒りの電話が母のえみこからかかってきた。「こんな物、向こうの両親が見たら泣くわよ！」。僕が「いや、大丈夫だって」と言うと、母は「みゆきちゃんの裸じゃない！　あんたの裸だよ！」と怒る。

続けて「こんな汚い裸して。なんで剃らなかったの！」と怒る。

そう、母はこの写真に怒ったのではなく、僕の剛毛ぶりに怒っていたのだ。さすがに「それつけ毛だから」と言えなくなった。

そして電話を切る時に母は言った。「お母さんとお父さんの分を送りなさい」。

欲しいのかよ‼

切なくおかしい、みゆきのダイエット。

「かわいそう」という言葉がある。

捨てられた子犬を見て、「かわいそう」。病気になった人を見て、「かわいそう」。

この「かわいそう」という言葉は、完全にその人がある人や物に対して上から見た言葉である。

例えば合コンで、女のコに「あんたの服装って格好悪い」と言われたら当然ムカつく。が、「あんたの服装ってなんかかわいそう」って言われたら、ムカつきを超えて、切なささえ覚える。

なぜなら「格好悪い」という言葉は、お互い平等な立場で相手に言われている言葉なのだが、「かわいそう」は相手に完全に上から見られている表現、プラス、情けまでかけられているので切なくなる。

この「かわいそう」についてあることを発見した。「おかしい」と「かわいそう」は薄皮一枚の隣り合わせの表現なんだということ。

友達と座敷の居酒屋に行った時、その友達の靴下に穴があいてるのを発見したことがある。それはみんなも笑える「おかしい」出来事だった。しかし、昔、彼女が家に来た時、彼女の靴下に穴があいてるのを発見した。友達だと笑えるはずが、彼女だと「かわいそう」になる。

道でコケて転んでいる人がいる。一見「おかしい」状況だが、コケ方によっては「かわいそう」となる。

その人、状況、タイミングによって「かわいそう」は、すぐさま「おかしい」に変身する。その逆も！

僕の妻、みゆきちゃんの後輩の吉本芸人に女二人組のコンビがいる。コンビ名はなんと「かわいそうな二人」。二人ともブスだ。一人は女なのにプロレスラーの三沢光晴にそっくり。もう一人は、もの凄い出っ歯。そんな二人から出てくる体験談は全部かわいそうな話。

「小学生の頃、何度も給食費を盗まれた」「美容院に行って切った後に美容師さんに『すいません、失敗でした』と失敗を認める宣言をされた」「弟は大人なのに漢字が読めない」などなど、そんなかわいそうだけど笑えてしまう体験満載の二人。

付き合っていた彼氏にフラれた理由も「おまえってかわいそうだから」だという。

究極にかわいそうなのは、お母さんを子供の頃亡くしているのだが、その亡くなった理由。お母さんと一緒に山登りしている途中に、突然発作が起きて亡くなったというのだ。当然笑える話ではないのだが、彼女たちが「お母さん山登りで死んじゃった」と言うと、失礼だけど、なんか「おかしい」。おまけに、お母さんが亡くなった後の保険金で家を新築したらしく、その建てた家が欠陥住宅だったというのだから、またかわいそう。「お母さんの死んだ保険金で建てた家が欠陥住宅」。

そんなふうに言われると、おかしく感じる。

ここまでくると「かわいそう」と「おかしい」がいかにご近所同士かがわかってもらえただろうか?

で……。うちの妻がダイエットを始めた。妻は体重80kg。空気入れで膨らましたような腹をしている。結婚前は72kg。その頃もどう見てもデブ。そんなデブが結婚してさらに太っておデブちゃんになった。

妻の仕事は『芸人』であり、その太ってることも飯の種だというのに、なぜダイエットなんて始めようと思ったのか?

それはある友人の一言が原因だったらしい。その言葉とは「なんか最近かわいそうなデブになってきたよね」。コレが妻を刺激した。

結婚前の妻は、腹は出ているデブではあったが、その友達いわく、「最近、クビのたるみとかができてかわいそうに見える」と言ったのだという。確かに、デブの人って腹を見ても笑えるのだが、なんかクビのシュワシュワってなってるタルミって切なさが漂ってる。

妻は僕に言った。「笑えるデブに戻ります!」。そう「痩せてきれいになる」のが目的ではない。4〜5kg絞って元の「笑えるデブ」になるのが目的らしいのだ。その日から妻のダイエット生活開始。「のんで痩せる薬」なるものを購入した。体を動かして痩せよう! と思わないところがずうずうしいのだが。でも、その「のんで痩せる」のも楽じゃない。ご飯に制限があるからだ。

ちゃんと食事していいのは一日一食。後は妙なピンク色の液体を飲むだけ。これでは腹が減るに決まってる。今まで一緒に食べていた夕食も妻は僕のために作って見てるだけ。

僕が妻の手料理を前に「俺だけいいの？」と言うと「大丈夫。最近、空腹に慣れてきたから」と言う。しかし僕が唐揚げを口に運ぼうとすると、妻の視線は唐揚げ一直線。黒目の焦点が完全に唐揚げだ。僕が「食べる？」と言うと、妻は「興味ないわよ」って顔をつくる。そんなことをされては僕も食べにくい。

そのような生活が2週間ほど続いていた頃。僕が仕事を終えて家に帰ると、妻がソファに座ってチョコレートを食べていた。そのチョコは僕が食べようと思って机に置いておいたもの。ダイエットに間食は禁物。「ダイエットやめたの？」と言うと妻がビックリして「あーー！」と叫んで手元のチョコを見つめた。そう。自分で無意識のうちにチョコを口に入れてしまっていたのだ。もう禁断症状。妻は「なんで食べちゃったんだ！　なんで、なんで！」と甲子園でエラーをした高校生のような顔で悔しそうに涙顔。

ここまで来るとダイエット生活も「かわいそう」。だけど、なんかおかしい。

夏休みの自由研究、「ブスの心理を考察」。

今回は夏休み期間中ということで、勝手に考察した自由研究を発表させていただく。

テーマは「超美人の気持ち。超ブスの気持ち。」である。

「男はブサイクでも人生どうにかなるが、女はブスというだけでハンディを背負わされている」

このことを女性に言うと、たいてい「そんなことないでしょ〜」とか言うが、そんなの綺麗ごと。

僕の知り合いですんごい美人のコがいて、そのコが酔った時にポロリと言った一言が僕の心に残っている。

「もし自分の子供が女のコだったら絶対美人がいい！」

美人が言うその言葉にはなんか説得力があったのだが、僕が「でも、美人で性格が悪いより、ブスで性格のいいほうがよくない？」と言うと、「じゃあ性格のいい美人が一番よくない？」と言った。ごもっともだ。

でも、美人には美人の悩みがある。たまに超美人で性格いいヤツが「私、モテないんだ〜」とか言う。磯野貴理子が聞いたら騒がしくなりそうな言葉だが、それは嫌みでもなくホントだったりする。

つまりは、男が「こんな美人は無理だろ！」と最初から決めつけ、気軽に近づかなかったりするため起きてしまうもったいない現象なのだ。確かに、合コンに行って、相手が美人ってだけでちょっと緊張する。

美人には、本人が望んでいない美人バリアーが勝手に出てしまうのだ。

だから、すんげー美人とブサイク男が付き合ってたりするのは、美人が出す自然のバリアーにもビビることなく近づいていった男の勇気の賜物《たまもの》だったりするのではないか？

で、ブスである。

モテたい男はブスの気持ちを知ってこそ！　と僕は思う。なぜなら、世の中で「私、絶対美人！」と心の中で本気で思ってる女って結構少ないと思う。ほとんどの女性が「私ってブスなのかも」と疑いを持って生きているはずだ。

僕は今までブスの女性の気持ちを深く考えたことなどなかったが、自分の妻がブスだけに、ブス！　という生き物を考える機会が多くなった。

あらかじめ言っておくが、ブスは悪いことではない。仕方のないことだ。

うちの妻のみゆきちゃんは100人中101人がブスだと答える鳴り物入りのブス。でも僕はそんなブスの妻を愛している（誰も羨《うらや》ましがらないおのろけだが）。僕が妻に「お前って誰に似てるって言われる？」と聞くと「ガッツ石松かな」と笑いながら言える超ポジティブシンキングのブスだから僕は好きだ。

　もちろん、妻はポジティブブスだけに、自分の顔がブスであることに悩んでいたりはしない。しかし、そんな妻にもブスとしての大きな弱点があった。それは……

　こないだ朝方家に帰ったら、妻がベッドで枕元に顔をうずめて泣いていた。ビックリした僕が、「どしたの?」と尋ねると、妻は「大丈夫」の一点張り。ガッツ石松似の顔の、目の部分が泣きすぎて腫れている。大丈夫ではない。

　ここ数日、仕事が忙しくて僕が家に帰れなかったので、その間に何か事件が起きたのか？　このままでは僕も寝るに寝れないので、妻をしつこく問いつめたところ、妻がついにその涙の理由を白状した。

　それは、僕がそのうち「あること」を言い出すのではないか？　という恐怖感が頭をよぎるのだという。

　それは、ある日突然僕が妻の顔を見つめ始めて「あれ～？　お前、そんな顔だったたっけ？　俺こんなブスと結婚してたの？　ごめん、間違えた……」と言うんじゃないか？　それを言われると怖い！　という思い。

　こんな常識破りの妄想が泣いてる理由だったのか？　と思ったら笑わずにはいられない。

　が、妻は主張する。「ブスってこういう考え方するもんなんだ」と。「ブスに生まれた女は全員、自分に思いもしない幸せ（例えば、予想外の結婚など）が降ってきた場合、『私はブスなんだから、こんな幸せはすぐに終わるに決まってる！』という思いに駆られるのだ！」と妻はブス論を僕に説明する。

とある女性誌のライターさんにこの話をしたところ、これはやはりうちの妻だけの話ではないらしい。ブスは子供の頃からブスであることに傷つくのが嫌なため、美人が獲得できそうな幸せはおのずと望むことを諦める体になるそうだ。

なのに、思いがけない幸せが訪れた時、「その幸せは自分に不似合いだ！　どうせすぐ失う」という思いを抱き始める。

これを「幸せ症候群」というのだという。なんかずうずうしい名前で腹立たしい。

コンビニで初めて「ノンアルコールビール」を見た時になんか腹が立った思いとちょっと似ている。とにかくわかったことは、ブスは生きていく段階で、自分で自然と「幸せ立ち入り禁止区域」を決めているのだ！　ということだ。

僕が泣いている妻に笑いながら「そんなことしないから」と言うと、「しないって確証はないでしょ？」と答える。確かに確証はない！　が、僕は返した。「もし僕がそんなことを言うような頭のネジが外れた男だとしたら、あんたが先に愛想を尽かすでしょ？」と言うと、妻は遠くを見て「そっか……」とあっさり納得。

美人と付き合うのも大変だが、ブスと付き合って幸せになるのも結構大変なのだ。

以上、自由研究終わり。

ある夏の日の、二つの出来事。

夏に妻のみゆきちゃんと実家に一日だけ帰った。そこで、人間の体って凄い！と改めて実感させられることを体感した。

妻がうちの実家に来たのは結婚報告以来2回目。うちには今年（2003年）96歳になるぎんちゃんというおばあちゃんがいるのだが、ぎんちゃん、前回結婚報告した時は全く信じてくれなかったのだ。それもそのはずで、女なのに坊主で真ん中に長い髪の毛が付いている体重80kgの雌の愉快な生き物を「妻です！」と紹介しても、普通の人でも信じられないのだから、仕方ない。

おばあちゃんは、あとで、「老人をバカにして」と嘆いていたらしいが、僕が帰った後に母が必死に事実だということを説明して、愉快なペットが妻であるという現実をのみ込んだらしい。で、妻とはそれ以来の対面。いったいどんな会話になるのか？

ぎんちゃんの部屋に行く前、母が「あれ見せられるよ」とだけ言った。

いよいよ妻とぎんちゃんの部屋に行く。扉を開けて、妻を見るなり、「あら～、どうも～」とヨーダのようなくしゃくしゃくしゃの笑顔で笑う。そして、僕に「かわいい奥さんじゃない」と96歳なりの必死のフォロー！「いい子も産みそうなお尻だし」と遠回しの「お前はデブだ通告」。すると、ぎんちゃん、うちの妻に「あんたも気をつけなさいよ」と言って、いきなり上の服を脱ぎだした。一枚脱ぐとなんとノーブラ。履き古しの靴下のようなおっぱいが2本ぶら下がっている。本日2回目の対面の妻の前でいきなりストリップとはなんたることか！　明治生まれはやることが違うと思いながら、僕が慌てて「何してんの！」と止めようとすると、右のおっぱいの上部に付いている血のにじんだガーゼのようなものが目に入った。

ぎんちゃんは、自分の70年後のMEGUMIばりのおっぱいを見せたかったわけじゃなく、そのガーゼを見せたかったのだ。それはちょっと血でにじんでいる。「何それ？」と言うと、ぎんちゃんは言った。

「ガンだってさ！」

「ガン」に「だってさ」なんて言葉は似合わない。仰天する僕と妻。そこに、母が現れて説明し始めた。

ここ半年ほど、ぎんちゃんのおっぱいに変なしこりができていたらしい。それがだんだん膨らんできて、心配になった母がぎんちゃんを病院に連れていったところ、「乳ガン」という診断が出たらしい。ただし、96歳という年齢から考えても進行はそんなに早くはないし、何より手術に体が耐えられないだろう……ということで、痛み止めの薬を飲ませる治療を行うことにした。いくら進行が遅いといっても、それが進めば他に転移することもある。だけど仕方ない。もちろんぎんちゃんにはそのことは言えない。

そのまま数か月がたつと、意外にも、しこりがなぜかどんどん皮膚のほうに盛り出てきたらしい。そしてそのしこりはおできのようになり、最後にはなんと爆発してしまったのだ。大きいおできがつぶれたような状態になり出血もした。すぐさま病院に行って検査したところ、なんとその爆発により、乳ガンのガン細胞が取れてしまったらしいのだ。ガン細胞自ら爆発！　最新医学もビックリの大事件。

その傷口にガーゼを張って手当てをした。ガンだというのに、まるですり傷のような傷跡。人間の体ってつくづくわからない。ブラックジャックによろしくする前に治ってしまった奇跡的パターン。既に僕が実家に帰った時はぎんちゃんはすべてを知っていて、で、いきなりのストリップとなったのだ。新妻であるみゆきちゃんに、「気をつけな」と言ったのは、「あんたのおっぱいも将来垂れちまうよ」という注意ではなく、乳ガンのことだった。しかし、どんなに頑張ってもぎんちゃんのようには治らないだろう。

ぎんちゃんのおっぱいが治ったのはいいことだが、一つ困るのは、ぎんちゃん、うちに来るお客全員に、服を脱いで自分のおっぱいを見せているらしい。

自分のおばあちゃんのおっぱいを、近所の人が全員見たことあるってちょっと複雑な心境だ。

どうでもいいけど、最近、おっぱいのこと、「パイオツ」って言う人、ほとんどいなくなりましたね。

そんな驚きの真実を目の当たりにしながら、実家を後にして家に帰ってきた。引っ越しして半年ほどだが、ここ数週間、エレベーターのところに大家さんからの張り紙がしてあった。そこには「厳重注意！　ゴミ置き場にマットレスを捨てた人がいます。あれは粗大ゴミになるので、このような行為は絶対にやめてください」と書いてある。僕は、その張り紙を見るたびに「こんな迷惑なことをするヤツってどこに行ってもいるんだよな～」って思っていた。

その日も実家帰りの疲れた体で、妻と一緒にエレベーターに乗り、「ホント、駄目なヤツだよな、こいつは」と張り紙を指して言うと、妻が照れた顔で言った。

「これ私なんだよね」

マンションに厳重注意されるようなことをしていたのが自分の妻だった！　そんな意外な現実。僕が「なんでそんなことすんだよー」と言うと、妻は「内緒ね」と言う。言えるわけがない！が、罪悪感が残るので、あえてここで発表することにした。「大家さん、あれはうちの妻です！」。

今年の夏のある一日に知った二つのありえない事件でした。

夏の思い出は、滑稽なミスマッチ！

この夏、明治座で行われていた武田鉄矢主演の舞台『3年B組金八先生』を見に行き、その舞台の後に行われた海援隊コンサートで生「贈る言葉」を聴いて以来、夏だというのに毎日「贈る言葉」を聴いていた。海の近くにある僕の実家に車で帰る時も、みんなの反対を押し切って車中で「贈る言葉」を聴いてみた。これは僕の挑戦だった。鉄矢と一緒に夏のチャレンジ2003！だ。

初めて酢豚にパイナップルを入れようと思った料理人も、最初はバカにされたはずである。が、食べてみると素敵なミスマッチ。それと同じように、春頃に一番合うはずの「贈る言葉」だけど、夏の海沿いでかけてみれば、そこには意外で素敵なミスマッチが見つかるはずだ！と。

車は実家に近づく。車内では鉄矢の声。目の前に海が広がる。合うはずだ！ビーチに贈る言葉。絶対合うはずだ。FLOWだって湘南の海でやってたコンサートで歌ってたじゃないか！と自分に暗示をかける。海がどんどん近づく。贈る言葉は2番になった。その時……、僕は「ギブ！」と言って、CDをケツメイシの「夏の思い出」にチェンジ。やはりビーチに鉄矢は単なる「暑苦しい×10」のミスマッチ。ちっとも感動しなかった。

このミスマッチには見事に負けたが、時折、素敵なミスマッチを見つけると感動するもんである。例えば、便所に飛んでくる綺麗な蝶々。便所といえばハエ。頑張ってアブだ。が、合わないはずの便所の蝶々はなんか心を癒される。

居酒屋で便所に行って、美女がゲロを吐いてるのを目撃したことがあるが、普通なら不愉快な人のゲロ姿も、なんか愛おしくなってしまった。「ゲロ＋美女＝なんか愛しい」なんて公式、この時まで発見できなかった。

しかし、こんな素敵なミスマッチ、そうあるもんじゃない。ある状況におけるミスマッチは、「ビーチ＋鉄矢」のように、滑稽さを感じるだけである。

昔、自分の家で彼女に別れ話をしている時に、テレビ画面でハマコーこと浜田幸一が『ダウンタウンDX』というテレビ番組に出て爆笑を取っていた。真剣な別れ話をしているというのに、ハマコーのさえわたるギャグが気になって仕方ない。が、彼女はそれどころではなく、ただ泣いている。その場でリモコンを持って消そうかとも思ったのだが、その行動＝テレビが気になってたことがばれるのでやめた。「真剣な別れ話＋彼女の涙＝悲しい状況」……、のはずだが……。「真剣な別れ話＋彼女の涙＋ハマコー＝滑稽」……となってしまう。

ヘルスに行った時もミスマッチな状況になった。ヘルスではたいがい有線がかかってる。しかも当たり障りないように、テクノとかユーロビートがかかってたりする店が多い。

リズムの速い曲は、自然と興奮状態を盛り上げる作用があるような気がする。「ヘルス＋女性のイヤらしい行動＋テクノ＝大興奮」となるわけだが、たま〜に邦楽の有線がかかってたりする。その曲によって、状況が変わってしまう時がある。

忘れもしない3年前。渋谷のお店で、女性にオーティンポーを操縦されてる時だ。なんと、かかり出したのは、その時のスマッシュヒットソング、爆チュウ問題の「でたらめな歌」（爆笑問題がネズミの格好して出した曲。しかも子供向けの曲）。

女性のセクシープレーに、あの子供向けのふざけた歌が僕の興奮アクセルに一気にブレーキをかけた。

「ヘルス＋女性のイヤらしい行動＋でたらめな歌＝滑稽」……となってしまったのだ。で、そんなあってはならないミスマッチな状況が最近あった。

ある日、妻のみゆきちゃんが、朝方仕事を終えて帰ってきた。ソファで寝ていた僕。すると妻はいきなり怒りだした。

机の上には食べ散らかしたお菓子。

ソファの横には脱いだ服が捨てたように置いてある。仕事で疲れて帰ってきた妻がキレた。「いい加減にして！」と。

僕は元々片づけるのが大嫌いな人間だ。普段から、妻はそんな僕のグータラなところを我慢してきたらしいが、この日、遂に積もり積もって爆発！　僕に向かって滅多に見せない真顔のお説教開始。僕も反省しつつ聞いていた。

と、なんか臭《にお》う。生ゴミのような臭い。この臭いはどっからだ？　鼻のレーダーで探っていくと……なんとその発信源は妻の足！

そう、妻は足が臭《くさ》い！　夏場、長いこと外に出ると、そこからは悪臭を放つことで有名だ（近場では）。

僕を見て怒る妻。と同時に僕の鼻を刺す悪臭！

普段だったら「足が臭い」と妻に笑って言える僕だが、怒られている状況で言ったら、怒るどころか泣きだすかもしれない。僕は耐えた。31歳にして妻に怒られ、その妻の足の臭いに耐えている自分を客観的に考えると笑いだしそうだったが、とにかく耐えた。

「お説教＝反省」の公式は、「お説教＋足の臭い」により見事「＝滑稽」になったのだ。

翌日、僕はそのことを妻に告げた。「昨日怒ってる時、すっごい足臭かったよ」と。

妻は「W攻撃だよ！」とあたかも計算してやったかのようなことを言ったが、そんなはずはない！

「妻の説教」と「足の臭い」と「ビーチ」と「贈る言葉」は、今年の夏の思い出となった。

改めましてこんにちは。ブスに恋するおさむです。

ある中学に二人の美幸という名前の女性がいた。ここでは美幸A、美幸Bと呼ぼう。美幸Aはクラスでモテモテの美貌を持つ女のコ。ある時、美幸Aはクラスの男子C君に体育館に呼び出された。もちろんC君からの告白だ。美幸Aは面倒だから、美幸Bに、「C君があんたのこと呼んでたよ！」と言った。美幸Bはご機嫌に体育館に向かった。扉を開けるとC君は満面の笑み。そして、美幸を見てそれが美幸Aではなく、美幸Bだとわかった瞬間、「お前じゃねえよ！」と本気で激怒したらしい。

その話の、美幸Bがうちの妻、みゆきちゃんだ。この話を妻に聞かされた時、女なのにガッツ石松似で体重70kg後半の妻の今までの人生と人となりをすべて凝縮している話だと感心したものだ。

人に「奥さんどんな人？」と聞かれると必ずこの話をする。そして、もう一つ！

こないだ僕が脚本を書いたドラマに大女優、泉ピン子さんに主演していただいた。そのドラマには、妻のコンビ仲間でもある、「森三中」の小さいデブのほう、村上というヤツにも出てもらった。ドラマの出演者全員が紹介がてらに顔を合わせる会、村上がピン子さんに挨拶を始めた。幸運にもピン子さんは「森三中」というグループをテレビで見ていたらしく、「あんた知ってるよー！」と言った。その後に、「3人組だよね。眼鏡のコと、もう一人、大きいデブちゃん」。僕はすかさず言った。「その大きいデブが僕の妻です」。するとピン子さんは言った。

「なんで⁉」

その「なんで⁉」はおそらく「なんで大きいデブちゃんなんかと結婚しちゃったの？　もしかして、ブス専？」の略の「なんで⁉」だろう。

「あれが僕の妻です」と言って「なんで！」と言われる人もいないだろう。が、そのピン子さんのリアクションは世間の正しいリアクションだと思う。

そんな「なんで⁉」な妻と結婚して早くも1年が経過する。妻との結婚記念日は「10月14日」ということになっている。「なっている」というのはどういうことか？

10月14日は大安だったので、僕と妻は婚姻届を区役所に出しに行った。ちなみに、婚姻届を出しに行った日まで、僕と妻は二人っきりになったことがなかった。それまでは常に友達とかいたし、もちろん一緒に住んでもなければ、ノーセックスにノーキッス。

その日は祝日で、区役所のポストに婚姻届を入れる。そうすれば、10月14日に結婚したことになる。

妻と僕は、その時、初めての二人っきり状態なので、会話もぎくしゃく。っていうか、よくそんな状況で結婚したよな～と思うのだが。

で区役所に着き、二人で手をつなぎ、婚姻届の袋をポストに入れた。これで正真正銘の夫婦だ。二人とも目を合わせて笑顔。……が、次の瞬間妻の顔が曇った。「あれ⁉」。二人が区役所だと思っていたその場所は、区役所ではなく税務署！　区役所はその隣！　つまり、僕と妻は婚姻届を税務署のポストに投函してしまったのだ！　せっかくの大安が台無し。窪塚夫妻にも笑われそうなうっかりミス。

翌日、朝一番に二人で税務署に行き、「昨日、婚姻届ポストに入れちゃったんですけど～」と言うと、向こうの係員全員が「来た来た！」的空気でクスクス笑い。そして、一人の女性が笑いを我慢しながら「おめでとうございます」と言って封筒を出した。完全にバカにされた空気でそこを出て区役所に持っていった。残念ながら、僕らのミスにより、婚姻届の届け日は10月15日になってしまった。大安でもなんでもない普通の日。でも僕と妻の中では、結婚記念日は10月14日。今年もその日に1周年を祝おうと思ってる。

ちなみに、税務署の隣の区役所に婚姻届を持っていった時、僕らのミスは既に区役所にまで伝わっていて、婚姻届を出した瞬間、かなり笑顔の係員に言われた。

「離婚届の時は間違えないでくださいね。なんちゃって」

「なんちゃって」ってどういうことだ！　と思ったが、妻はその時、その係員に「フザケタこと言ってるとブッ殺すぞ！　……なんちゃって」と言えなかったことに、1年たった今でも後悔している。

みゆき、女優になる。次回作は、あの超大作!?

芸歴5年のうちの妻、みゆきちゃんに、ついに女優の仕事が舞い込んできた。妻の女優初作品はVシネマ。もしかして僕の大好きな哀しい川と書いて「あいかわ」と読ませる哀川翔と共演か？期待に胸躍らせる僕の前に、妻が台本を置く。そこには、『パチンコ　バトル・ロワイアルⅡ』と書いてある。どっかで聞いたようなタイトル。しかも「Ⅱ」。

この作品、映画『バトル・ロワイアル』が大好きな監督が、愛と敬意を込めて作ったものらしく、詳しく内容はわからないが、パチンコ版のバトル・ロワイアルであることは確か。バトル・ロワイアルは「BR」と略すが、うちの妻は早速「PBR」と略していた。前作『PBR』はVシネマファンなら知っている名作（というか怪作）で、なんかの賞を取っちゃってるらしい。何の賞かが大事なところだが、わからない。

で、この『ＰＢＲⅡ（パチンコ　バトル・ロワイアルⅡ）』は、物語の最初に、「この作品を見る前に、『バトル・ロワイアルⅡ』を見てください」的なとんでもない説明が出てきてしまう。驚くのはそれだけではない。妻をはじめとするゴールデンキャストだ。

妻は監督と初めて会った時に、その場で超豪華キャスティングを聞かされた。

まず主役。『ＢＲⅡ』だと藤原竜也が演じている役を演じるのは、なんと、なべやかん！　替え玉やウエイトリフティングでおなじみの方だ。そして、『ＢＲⅡ』でビートたけしが演じていた役を、松村邦洋。このキャスティング、思いつきはするが実行するには勇気がいる。他にも、つまみ枝豆に井手らっきょ、ローバー・美々など、目を疑うような『オーシャンズ11』顔負けの豪華出演者。全員僕が大好きな人ばかり。

こんな中で、うちの妻は監督にこう言われたらしい。「君は、『バトル・ロワイアルⅡ』の前田愛の役！　大事だからよろしく」。出会い系メールで「前田愛にそっくり」と書いてあって、待ち合わせでうちの妻（雄豚似）が出てきたら、裁判ものだ！　いったい監督は前田愛とうちの妻のどこに共通点を見つけたのか？

ちなみに、うちの妻の役は、松村邦洋演じる先生の娘役で、役名がなんと「ビートしおり」。ビートたけし、ビートきよしに続き、３人目のビートをめでたく妻がいただいた。

で、そんなドリームシネマ『ＰＢＲⅡ』の撮影が始まり、妻は毎朝早く起きて撮影に出かけていた。そんなある日、妻が台本を持ってリビングで仕事している僕のところに来た。用件は、明日大事なシーンがあり、そこを一緒に練習してほしいのだという。僕も役者経験0だが、妻のためなら仕方ない。その練習するべきところの台本を見ると、なんと妻演じるビートしおりは最後に死んでしまう。死ぬ直前の妻をなべやかんが抱きかかえ、涙ながらに叫ぶのだという。もちろん真剣なシーンだ。

なべやかんが抱きかかえるうちの妻。こんなシーン、誰が見たって爆笑？　いや、苦笑ものの風景だ。が、ここは真剣なシーン。しかも、妻が最期に言うセリフは「私の人生、いつもすれ違いだね」。ここだけ聞くとなんだか名セリフ。それに対して、僕が言うセリフ。台本を見る。なんと、台本には……、

死にそうなしおりを抱きかかえて叫ぶ。

「ビートー！　ビートー！」

と書いてある。なぜ「しおり」と叫ばずに「ビート」なのか？　笑わそうとしているのか泣かそうとしているのか？　それとも怒らそうとしているのか？　まったくわからないが、とにかくそのシーンを二人で練習開始。

深夜2時。リビングで妻を抱きかかえ、「ビートー！　ビートー！」と叫ぶが、途中で笑わないわけがない。妻は「真剣にやって！」と怒る。僕もその役になりきる。「愛している女性が目の前で死ぬんだ。そしたら俺はどうなる？　そう、涙が出るはずだ」と、妻の顔を見る。爆笑だ！

もしうちの妻が死にそうになっても、この顔を見たら笑っちゃうかもな~なんて思いながら、1時間以上特訓は続いた。もはや究極のニラメッコ。

そんな家庭内特訓の成果もあって、翌日の撮影は笑いナシで終了。妻もそれで撮影をすべて終えた。

すると監督が妻のところに寄ってきて真顔で言ったらしい。

「次はお前で『タイタニック』やろうと思ってるから」

夫として、その作品、ホントに楽しみである。

和服美人みゆきのビール勝負、一人勝ち！

先日、僕と同じく放送作家をしているIさんに、「昨日、お宅の奥さん凄かったですよ～」と褒め言葉風に言われた。普通、自分の妻を褒められれば無条件に嬉しいはずだ。いったい何が凄かったのか？　その内容を聞いて、嬉しさを越え、もう、ビッ栗！（栗が食べ頃なので、こう表記してみました）。

ちなみに、同じ日、別の知り合いに言われた。「昨日奥さん、歌舞伎町走ってましたよ。着物姿で！」。妻が歌舞伎町を着物で？　その日仕事はないはずだ。誰かの結婚式か？　そんなことは聞いてない。

んな妻の謎の行動が気になったまま、その作家Iさんから「凄かった話」を聞いて謎が解けた。

謎が解けて腰が抜けた。

そのIさんは、妻がデビュー当時からお世話になっている人で、Iさんが個人事務所を開設したお祝いパーティが新宿のとあるカラオケボックスで開かれていたのだ。そこに妻はなぜか一人意気込み着物で出席。

で、問題はそのパーティの中で起こした妻のある行動である。

そのIさんは、非常に人望があり、その開設パーティには、多数の人が駆けつけていたらしい。なかには芸人さんも結構いたので、みんなで酒を飲んだり、カラオケを歌ったり、時間が進むにつれ、そこにはたくさんの笑いが発生していたのだ。

そんななか、うちの妻は着物姿で終始笑顔で相づち程度。一人の主婦としては正しい行動である。が、時間が進むにつれ、盛り上がりは加速し、そのパーティでは、ある勝負が行われ始めたのである。

それは、「人前で小便ってできるものか？　勝負」。

日頃、小便とは人目を気にしながら、自分の魔法の杖を隠してするものである。だから普通にできるのだが、小便ってあるプレッシャーがかかるとできなくなるものである。

例えば、病院に行き、看護師さんにコップを渡され「これにおしっこ取ってきてください」と言われると、看護師さんの「入れてきてもらわなきゃ困りますよ」的プレッシャーと、看護師さんに「こいつは小便もろくにできない男だ」と思われたくないない変なプレッシャーが勝手にかかり、たかが小便が出なくなってしまう。その看護師さんが可愛いとより、そのプレッシャーはでかい。

それと同様のプレッシャー。学校の遠足でバスの移動中、凄くおしっこがしたくなり、運転手さんにバスを止めてもらい、道ばたにしに行く。バスを出る際に、先生の「早く戻ってきてね」の一言でプレッシャーを感じる。俺の小便がクラス全員を足止めしてる！　クラス全員が俺の小便を望んでいる！　そんなふうに感じ始めると、あんなにしたかったはずのおしっこが、シャワーの「弱」程度の強さでしか出なかったりする。

つまり、おしっこというものは自分の意思が関係あり、人に「出せ」とか「出してほしい」と求められると途端にできなくなるものなのだ。

話はそのパーティに戻るのだが、たぶんそこでもそんな話になったんだと思う。その場にいた男たちが一人ずつ出てきて「俺、できますよ！」と股間から魔法の杖を出して、空いたビールジョッキに小便をし始める……。が、出ない！　そう、多数の人が「出るのか？」という思いで見つめていると出ない！　魔法の杖のはずなのに、魔法がかけられない。焦り始めるハリーポッターたち。その後も勇気ある男の魔法使いたちが、その小便魔法にチャレンジしたのだが、成功者は出ず！

そんななか、一人の女性の魔法使いが腰を上げた。そう、うちの妻だ。着物姿でカラオケボックスのテーブルの上に股を開いて乗り、ビールジョッキを右手に持ち、自分の排水溝に近づける。一同のプレッシャーを感じるなか、うちの妻は、凄い威力でそのジョッキに放水開始。数十秒でビールジョッキを自分の小便で一杯にしたという。見ていたみんなは思わず大拍手。しかも、妻がジョッキに放水したものは、色もビールのような黄色。何もなかったビールジョッキに瞬時にしてビールを注ぐ魔法に一同大爆笑。

で、そんなビッ栗話を聞いた僕は家に帰り、妻に聞いた。「昨日、小便したんだって?」。妻はどんな言葉を返すのかと思ったら、こう言った。

「奇跡的に出たんだよね〜。良かった〜」

そんな笑顔の妻に、僕は魔法学校の卒業証書を与えたくなった。

以上、ブスとのおのろけ終わり!

銀座の高級宝石店に、結婚指輪を買いに行く。

うちの妻のみゆきちゃんと交際期間0日という、神様への冒瀆《ぼうとく》としか思えない結婚の仕方をして1年がたった。最近、勝手にトレードマークだと思っていた、坊主頭のてっぺんにあったウマの尻尾……というかラーメンマンのような30cm程の髪の毛をバッサリ切った。全体的にさっぱりしたショートヘア。舞台の上で「最近の宮沢りえを意識しました」と言っただけで笑いが起きるのだから、ブスとは素敵な生き物だ。

そんで、そんな妻に僕は婚約指輪も結婚指輪もあげてなかった。

結婚して1年、妻が「結婚指輪だけ買ってくれないかな～」と男顔して女っぽいことを言ってきたので、遅ればせながら買うことにした。

どうせだったらいいヤツを！　ということで、銀座にある人気の高級宝石店に向かった。品のある店構え。店前にガードマンが立っていて、貧乏人は入ってくるな！　という空気満々の中、僕と、全身古着で1万円以内のナイスコーディネートをした妻が店に入っていく。いくらヘアスタイルが宮沢りえといっても顔は豚顔&30を越えて金髪のインチキ夫が来たのだから店の空気が変わる。

店員が一斉に嘘の笑顔で「いらっしゃいませ」。怪しむ店員の目つきに、僕は「万引きしませんから！」と言ってあげたいところだったが、そういう問題でもないのだろう。

せっかくなのでいいヤツを買おうと思い、中でも結構エキスペンシ〜ブなヤツを選ぶ。その瞬間、「金払えるんだろうな?」と思われた気がしたので、僕も「金なら持ってんだよ〜」とやらしいアイコンタクトをしてやったが、伝わってるかどうかは定かではない！

指輪を決めた後は、サイズ決めだ。指輪のサイズのこととか全く知らないので尋ねると、店員さんは「男性はだいたい15号以上。女性のほうは大体8号から11号くらいの方が多いですね」と何気なく言う。

まず僕の指に鉄のリングみたいなのをハメてサイズを測ると20号。なかなかの太さだという。で、妻の番が来た。妻の指を見る。ちなみに妻の体重は80kg強。店員が指を見た瞬間「太っ!!」と心の中で突っ込んだ声が僕には聞こえた。

妻の指のサイズを測る。店員は「12号くらいでしょうか?」と言って鉄のリングをハメる。さっき「女性はだいたい8号から11号」と言ってたのに早速平均オーバー！

店員が妻に12号のリングをハメるが、店員が首を傾げて13号のリング。また首を傾げて14号。その鉄のリングは5個くらいのサイズが束になっているのだが、手に持っていたリングの束を置いて別のリングの束を持った。それはさっき僕のサイズを測ってた束。つまり男性用。女の指を男性用の計測リングで測り始める。店員の顔にも明らかに動揺が見えるが、それを出さない。ついに妻の指に15号のリングを入れた。店員が「いかがですか?」と聞く。妻は答えた。「もうひと声!」。激安ショップで値引きをお願いする時の言葉がこの宝石店で飛び出したのは初めてのことだろう。

結局、妻の指輪は16号。完全に男サイズだ。

そしてそのサイズの指輪を出してきた店員が妻の指に指輪を入れる。そこであることに気づいた。妻の指には女なのに指毛が生えているのだ。指輪を指に押し込むと、指毛が「痛いよ〜痛いよ〜」と悲鳴を上げるかのように立っている。店員さんはありえない指のサイズ&指毛を見て必死に笑いをこらえている。僕はたまらず言った。「笑っていいですよ」。すると店員さんはプーーッと噴き出し「失礼しました〜」と笑った。ホントに笑うなよ! と思ったが、店を出た後に笑われるぐらいなら今笑ってもらったほうがいい。

店員さんの噴き出す顔を見て妻も笑いだす。そして妻が「なんだこの指!」と自分の指にツッコム。その時、離れていた店員さんが、その言葉にこっくりうなずいたのを僕は見逃していない。

そんな世にも奇妙な指輪選びから数日後、知り合いが、「奥さん、舞台でも結婚指輪つけてましたよ」と言っていた。なぜかちょっと嬉しい。が、その後に続けて言った。「舞台で、愛を食らえ!

と言って指輪した指で男の頭をグーで殴ってました」。

この間違った結婚指輪の使い方。ぜひあの店員さんにも見ていただき、今度は我慢することなく笑ってほしい！

みゆき、スランプで「森三中」の危機か!?

前に僕が尊敬する女芸人さんと飲みに行った時、その人は言っていた。「男ができると、自然と舞台の上やテレビでもストッパーがかかってしまう。悔しいけどテレビの向こうにいる男のことを無意識に考えてしまっている」と。だからその人は「女芸人」という仕事を続ける限り「男は作らないのだ!」と言っていた。その時に、女芸人って大変な仕事だな〜って思った。

男は股間のイタズラ息子をポロリと出しても笑ってもらえるのに、女の場合はそうはいかない。周りが引いてしまうか興奮するかどっちかだ。

そんな方と同様の女芸人という仕事をしているみゆきちゃんが妻になり1年がたった。結婚してから妻は、「可愛くなった」と評判だった。もともとガッツ石松や泉谷しげるにそっくりな雄豚系の顔の妻。いろんな人に「奥さん可愛くなったね～」と何度も言われたが、それは泥だらけだった子豚が体を洗って頭にリボンを付けて「可愛い」と言われてるようなもの。実際に家で飼うのは犬や猫で、決してその子豚を飼おうと思わない。長くなったがそんな「可愛い」なのだ。

結婚当初はラーメンマンのような髪型をしていた妻も、今は最近の宮沢りえよろしくシャレたショートヘア。自称ハル・ベリーとも言っていたが、これをハル・ベリーが知ったら、オスカー像で殴るに違いない！

ヘンテコな髪型から、しゃれた髪型に変化した妻は、この数か月、実は「美」に目覚めていた。まつげパーマに行ってまつげにロールをかけてみたり、エステに行って美肌に気を使ったりしていたのだ。

想像してほしい。ガッツ石松似の女がまつげパーマをかけているところを。エステに入っていくところを。もし自分が店員さんだったら、絶対「何のご用ですか？」と言いたいところだ。

その妻の美への目覚めが、ギャグなのか？　それとも本気なのか？　わからないところがあった。と同時に、僕の耳によく入るようになった言葉。それは「妻が結婚してから芸人としてつまらなくなった！」ということだった。舞台に出ていても前ほど、進んで前に出なくなったりしているのだという。それは結婚とは関係ない！　僕はそう信じていた。

そんななか、こないだ妻と、若者の集う街、そう渋谷で飯を食っている時に、妻が突然相談を持ちかけてきた。なんと、妻が所属する女ダチョウ倶楽部「森三中」のメンバーに、結婚してからのここ最近のたるみっぷり&結婚してから「女」になりすぎてしまっていること、それが仕事に影響していることを怒られたのだという。そこまで怒られたことは今までなく、かなりヘコんでいた。

落ち込む妻に僕は、ここ最近、「奥さん面白くなくなった」と言われることを正直に言った。僕は結婚することでさらに芸人として面白くなれると思っていたのに、現在、そうなれていなかったのは少しショックだった……と言った。渋谷のしゃれたメシ屋で夫婦が話すことではないが、今話さないと！　とすべてを話した。そしてもう一個！

「君はブスなんだ！」ということを丁寧に説明してあげた。一人の女性にこんなに愛を持って「君がいかにブスか？」と甘い声で説くのは僕かフランシスコ・ザビエルくらいだろう。

妻は僕のその愛の説教に対して、「正直結婚してから舞台とかで前に出にくくなっている自分がいた」と白状した。その数秒後、目を輝かせて「よし！」と言った。それを打破するいい作戦を思いついたのか？　妻は言った。「家に帰ろう」。飯の途中なのにそんなことを言いだした。そして「家に帰ってボウズにするわ。この髪の毛が邪魔なんだわ」と言った。数年前まではボウズにしていた妻。どうやらボウズ頭にすることで、あるスイッチが入るのだという。妻は「何がハル・ベリーだ！　何が宮沢りえだ！」と自分を叱るように家に帰り、タンスからバリカンを出し「ご無沙汰してます」とバリカンに一礼。そして髪の毛を器用にガリガリ刈り始め、数分後には五分刈り頭の妻の出来上がり。

想像してほしい。ガッツ石松顔で体重80kgを超えてまるまるとした顔にボウズ頭。まつげにはパーマがかかりエステのおかげで肌の艶がいい。そんな妻。僕は思わず叫んだ。「それだ!!」。

気のせいか、その日から妻の目は結婚前の妻の目に戻ったような気がする。僕はそんな妻をベッドの上で優しく抱きしめてあげた。

みゆきの脇毛に涙する⁉ オー！ スパゲッティ‼

僕が大学に通っていた時、スペイン語の授業があり、先生がスペイン人の綺麗な女性だった。その先生、初めての授業に来てジャケットを脱ぎ、長い髪の毛をさっと掻き上げた瞬間、脇の下から黒々とした脇毛がスパニ〜ッシュ！ と音を立てて僕の目に飛び込んできた。その瞬間、クラスの空気が０・１秒ほど止まったのは言うまでもない。

日本のように女性が脇毛を剃る習慣がない国があると聞いてはいたが、その文化の違いを目の当たりにした瞬間だった。当然その授業の終わりからその先生にあだ名が付けられた。スパニッシュ＋脇毛から、「スパ毛（スパゲ）」というあだ名が付いた。それ以来、誰かの口から「スパゲッティ」という言葉が出るたびに一瞬脳裏に「スパ毛」のことがよぎる。その時考えた。なぜ、女性が脇毛を剃らない国があるのか？　それは脇毛に対して「無駄毛」という意識がないからだろう。日本では、脇毛、スネ毛、水着からはみ出す毛などを「無駄毛」という。でも、それは勝手に無駄！　と判断してるだけ。毛というものは、そもそも体を守るために生えてるもので、無駄な毛などあるはずがないのである。女性の陰毛も男性を興奮させるために生えてるわけではない。陰毛自身、「ヘア～」とか「お毛毛」（鶴光的呼び方）なんて言われることを望んではいない（はずだ）。脇に生えてる毛は無駄な毛、股間に生えてる毛はスケベな毛！　と人間が勝手にイメージをつけてしまったのだ。

あのスペイン語の先生にとって、脇毛は「無駄な毛」だと思わないから剃らないのである。その先生と同じように脇毛を剃らない女性がいた。そう、うちの妻、みゆきちゃんだ。妻はなんと小学5年の時に初脇毛が生えたそうだ。学校で友達に「脇にゴミついてるよ」と言われ、見たら、それが一本だけ伸びている脇毛だったらしい。

結婚してから初めて妻の脇毛を見て、あの大学の時と同じショックを受けた。「なぜ剃らないのか？」と聞くと「面倒くさい」「生えるものを剃る必要がない」という二点の理由からよっぽどのことがない限り剃らないで生きてきたらしい。最高3年伸ばしたこともあるというのだ。

僕もそれはそれでいいかと思っていたのだが、夏に一緒に買い物とかに行くと、たまに妻のTシャツの袖から「ヨッ！」って感じで飛び出る脇毛の集団を見るたびに、店員さんがその脇毛に気づかないことを祈った。

そんなスリルを何度か味わううちに妻にお願いした。「脇毛を剃ってくれ」と。妻は断固として拒否した。

今まで生きてきて何度か脇毛に助けられたことがあるのだという。

それは、学生の頃、バスケ部だった妻が試合中、両手を上げてパスを出すと、妻の脇から飛び出る脇毛に敵が一瞬目を奪われて隙ができた！　というのだ。

その話を聞いて、もしかしてスペイン語の先生が脇毛を剃らないのも、有名なスペインの牛追い祭りに出る時、自分の脇毛で牛の気を引きつけるためか？　と一瞬思ったが、すぐに却下！　そんなわけはない。

僕は妻を必死に説得した。脇毛には申し訳ないが、この日本、いや東京で大人の女性が生活する場において、脇毛は「無駄毛」であると。

それから数か月がたち、妻が家に戻ってくるや否や、もの凄い笑顔で両手を上げて脇の下を見せた。すると綺麗さっぱり脇毛がない。なんと、永久脱毛に通って、脇毛とおさらばしたのだという。脇毛を愛した妻にとってはかなりの決断だ。僕はそんな妻を褒めたたえ、そしてその夜は乾杯した（牛乳で）。

それから数日後、ベッドで寝ている妻の脇の下にゴミがついていた。数秒後、それがゴミでないことがわかった。そう。一本の太い脇毛が強くたくましく、３㎝ほど伸びていやがったのだ！

ビックリして、僕は寝ている妻を叩き起こして、そのしぶとい脇毛を指さした。妻いわく、それは小5の時に最初に生えた脇毛（ロットナンバー1番）と同じ場所に生えた脇毛らしい。枯れ果てた大地に一本だけ一生懸命咲いている花のように、必死に生えている脇毛。そんな脇毛を見たら泣けてきた……わけがなく、すぐさまピンセットで抜く極刑をくらわした。

その日から、永久脱毛をしたはずの妻は、数日に一回、伸びた脇毛を一本、毛抜きで抜いている。

妻の永久脱毛失敗！

キミはできるか!? こんな二人のイチャつき。

街中で平気でキスするカップル。ファミレスの向かい合えるテーブル席で、隣同士に座って仲良く食事しているカップル。カップルによって、イチャつき方は人それぞれだ。

僕と雄豚似の妻みゆきちゃんも毎日イチャついてる。どんなふうにイチャついているのか？　ある一日の出来事を例に説明しよう。

僕はもともと首が異常なコリ性で、ちょっとしたことがきっかけですぐに寝違えたように首のスジがつってしまう。それをギックリ腰ならぬギックリ首というらしい。

先日、朝起きると、首に電流が走るような痛み。ギックリ首だ！　しかも人生史上最大の痛み。しばらく上半身が麻痺して動かない。痛みにのたうち回ってる僕に妻が気づいた。行きつけのマッサージ屋さんに行けば、そのギックリ首もすぐに治してくれるのだが、まだ営業時間ではない。その日は絶対に休めない仕事があった。が、この痛みでは無理だ。

するとと妻が、近所に気になってた「気功整体」があると言う。気になってただけで入ったことはない。そこに行って少しでも痛みが和らぐなら……と妻と二人でその整体に向かった。

そこは小さな駄菓子屋さんぐらいの広さ。まだできて半年。扉を開けると、小柄なメガネをかけた男性が白衣を着て出てきた。僕が首の具合をすべて話すと、その先生が「治ります」と断言。これは頼もしい！　と思い、すぐさま畳の診察室に横になる。妻はすぐ近くで心配そうに見ている。

先生の気功整体が始まった。まず先生が性感マッサージぐらいのタッチで腰を軽く触る。その後、頭を触り、足の裏を触る。それであっという間に10分以上経過。一向に首を触る気配がない。すると先生は仰向けに寝ている僕のタマキン全力投球のすぐ上を優しくなで始めた。円を描くかのように、ゆっくりゆっくりなで始める。先生が長谷川京子だったらすぐさま僕の息子はチーター（'80年代の業界用語より）していたところだろう。その股間周辺のソフトタッチがかなり長い。治療時間は30分なのに、どんどん時間が過ぎていく。

少し離れていたところで見ていた妻に助けを求めるように視線を投げかけると、妻は、その先生のソフトタッチを見て爆笑寸前。バッグで顔を隠して声を殺して笑っている。しかも、右手を左の頬に当てて、口パクで「そいつゲイだ！」とメッセージ。

結局その後、首を一回も触ることなく治療は終わり。僕がちょっとムッとした感じで「どうなんですか?」と聞くと、先生は「3日ほどたてば治るでしょう!」と言いやがった。確かにその先生「すぐ治る」とは言わなかった。でも3日ほっておけば、こんなところに来なくても治る。

おまけに先生は帰り際の僕に「あなた肺を鍛えたほうがいいですよ」と捨てゼリフ。しかし怒る勇気もない小心者の僕はまんまと金を払って店を出てきた。家に帰るまでずっと「Osamu get angry with gay」である!

一部始終を見ていた妻は家に帰っても笑いが収まらない。怒る僕に妻は「私が治してあげるから」と言って僕を優しくふとんに寝かせた。

すると妻が僕のタマキン全力投球の上を触り始める。あの先生のように! 完全に妻にからかわれている。が、首が動かないので一度寝ると、上半身も動かせない。ちょっと怒るだけで首に激痛が走る。僕が「いい加減にしろよ!」と言うと、妻は「よし! 特効薬をあげましょう」と言って、ケツを僕のほうに向け始めた。

まずい! 屁だ! 屁、それは腸が作り上げたテポドン! 妻はそれを僕の顔に向かって撃つつもりだ! しかもパンツを脱いだ! 妻のプリティーホール(ケツの穴)から僕の鼻まで10㎝弱。いつもだったらこんな冗談に笑ってられるのに、今日ばかりは別! 僕が、仮面ライダーに改造される本郷猛よろしく「やめろ〜! やめろ〜」と叫ぶのもむなしく、妻のテポドンならぬ屁ポドンは発射。僕の鼻に直撃!

パンツ越しじゃなく、屁を直に鼻に撃たれたのは人生初の出来事だった。感想は一言!「くさい！」。当たり前だがその言葉以外見つからない。ＮＯＴ　ＦＩＮＤだ。
あまりの臭さに首の痛みも麻痺して僕は笑い続けた。その笑顔を見て妻も笑った。
僕らはこんなふうにしてイチャついている。

天然記念物に指定、みゆきのギャランドゥー！

笑っちゃうほど面白い顔をしているうちの妻は、今でこそ永久脱毛にも行ったが、基本、脇毛が濃い。指毛も濃い！　そこ以外に、ある場所にも毛が生えていたのだ！

「毛」とは不思議な物だ。髪型をちょっと変えただけで、「あれ？　あいつあんな可愛かったっけ」と思われる人もいれば逆もある。毛とは女にとって武器にもなるし、とんでもないマイナスポイントにもなるのだ。

中学生の頃、ナミちゃんという女の子がいた。とても可愛くみんなの人気者だったのだが、夏になり衣替えが始まり、半袖のシャツを着始めるようになって、ナミちゃんの腕毛がもの凄く濃いことにクラス中の男子が気づいた。人気者だったはずのナミちゃんも、一夜明ければ、「腕毛」と呼ばれ始めてしまった。しかもその日以降、女性の腕毛は「ナミ毛」と呼ばれるようになってしまったのだ。「オナニー」の語源が旧約聖書の人物「オナン」の名から来てる以下の仕打ちぶりである。
そして、別名ヘア~ともいわれる陰毛は時としてその女性のイメージを大きく変える。ある人気女性タレントのヘアヌード写真集が出ると、男性陣はまず「ヘアチェック」をするはずだ。そのヘア~ぶりを見て、トリビアなら「へ~」と感心するところを「ヘア~」と一喜一憂&晴れ時々落胆する。

葉月里緒菜がヌード写真集を出した時、男性陣は皆、その剛毛ぶりに小さなショックを受けた。石田えりの黒いパンティーをはいてるかのような剛毛はショックを通り超えて勇気を与えた! 川島なお美の薄いヘア~ぶりは、さすが体の中にワインが流れているだけある! と感心した。

男性の体の毛というのは濃ければ濃いほど女性に嫌われている。が、女性の場合、体の毛が濃いと子供の頃はナミちゃんのようにバカにされるだけだが、大人になると、男性に失望だけでなく勇気を与える場合もあるのだ!

で、ようやく妻の話に戻ろう! 妻は指毛も脇毛も濃いタイプ。ということは体毛全体濃い。しかし、結婚して1年以上たつのに、妻のあるところの毛に気づかなかった。

足の指毛だ!

妻がソファで足の爪を切っている時、足の親指の指毛が僕の目に飛び込んできた。濃い! 長い! 黒い! 三拍子揃っている。1~2㎝以上ある足の指毛。もちろん親指だけではない。すべての指にたくましく長い足指毛が生えてしまっている。

僕はショックを受けるというよりも、「足指毛が生えてる女性」を発見したことでテンションが上がった。雪山で雪男の足跡を発見した人ってこういうテンションなんだろうな！　っていうくらいの、そんなテンション。

が、その日の衝撃はそれだけではなかった。

妻は「私、ここにも毛生えているの気づいてた？」と言って服をまくった。

僕の目に映ったのは妻のヘソである。「？？」な顔の僕に、妻がヘソの下を指さし確認。すると……。妻のヘソの下に、これまた1～2㎝ほどの毛が生えていた。うぶ毛ではない。黒くたくましい毛だ。僕は叫んだ。

「なにこれ？？」

妻はすかさず言った。

「ギャランドゥーだよ！」

ギャランドゥーとは西城秀樹がヘソの下に激しく毛が生えていることから、その毛を、秀樹のヒット曲から取って「ギャランドゥー」と名付けられたものであり、声に出して読みたい美しい言葉でもある。

僕はこれまで31年間ギャランドゥーとは男のモノ！　だと思っていた。女性が「俺のチンコ凄いよ！」と言わないように、ギャランドゥーも同様。久しぶりに固定観念を破壊された。妻のヘソ下に生えるギャランドゥーを見て、僕は石田えりの剛毛を見て以来の勇気を与えられた。

僕のあまりの驚きぶりを見て、妻は「剃ったほうがいい？」と聞いてきたので、すぐさま「駄目だ！」と反対運動。および鈴木家の天然記念物に指定。

しかし驚きはそれだけではなかった。数日後飲み屋でその話をすると、ある女性が言った。

「私も薄いけど生えてたよ、ギャランドゥー。剃ったけどね」（笑顔）

「女の体はまだまだ謎が多いわよ〜」ととびっきりのブスな妻に教えられた２００４年の冬！

ネッペ妻の驚くべき生態。リポート第1弾!

人間が一番無防備になる瞬間。それは寝ている時だ。どんなに美人でも寝姿をずっとカメラで撮影していれば、絶対に一回は男性諸君がガッカリする行動をするはずだ。口を開けて寝たり、ヒザをかいたり、ヨダレを垂らしたり。

藤原紀香だって、長谷川京子だってキャメロン・ディアスだって、みんな寝姿に隙はある。寝言だって言ったことあるに決まってる。どうする? 優香が寝言で「あ〜、ケツかゆ〜い」とか言ってたら。逆に興奮するか?

まあ、そんな女性の寝姿で逆に愛情が湧く時もあるのだが、うちの犬(妻・みゆき種・体重80kg)はとにかく寝ている時に隙がありすぎる。前に一度、寝ている時に「よっしゃ〜〜行くぞ〜」

と大きな声で叫んだことは書いたが、とにかく寝言が多い。そして寝ている時のガッカリする行動が多すぎるのだ。僕がシートンだったら観察対象としては最高なのだが、残念ながらそれが犬ではなく妻なのが問題だ。

ある時、僕が机で仕事してると妻はソファでうたた寝開始。そんな妻の寝顔を覗く。確かにブスだ！　が、アザラシのタマちゃんのようなそのよく肥えた体と顔を見ると思わず、ニンマリとしてしまう。そう、愛しさを感じるのだ。と、そんな一人おのろけしている隙に、妻のケツから「ズブブ～～ッ」と醜い音。そう。屁だ！　ローマ字で「ＨＥ」。

妻はよく寝ながら屁をするのだ。新聞の４コマ漫画とかで妻が寝ながら屁をしている光景は見たことあるが、実際に自分の妻がそんな漫画から飛び出したような妻になろうとは想像がつくだろうか？　いやつかない！（漢文より）。

しかも妻は必ず寝ながらの屁、寝屁（「ネッペ」と読もう）の後に、ニヤ～ッと小さく笑う。起きているわけではない。ということは屁をしたことを無意識にわかっているのか？　それとも屁をした夢を見て思わずほほ笑んだのか？　でも屁をする夢ってどんな夢だ？

ちなみに、寝ながらする妻の屁は自分の鼻を疑いたくなるくらいの臭さ。地震にたとえるならマグニチュード８。体が激震するような臭い。

そんな寝屁妻（ネッペヅマと読もう）の寝ている時の愛しい事件が最近、二つ立て続けに起きた！

まず一つ目。最初に言っておくと、うちの妻は甘い物が大好きで、僕の目を盗んではこっそりお菓子を食べてさらに体重を増やしている。

で、ある日の夜、僕は妻のでかい寝言で目を覚ました。妻の友人で「ナツカ」という子がいるのだが、その寝言の中にその友人の名前が出てきた。こんな寝言だった。

「ナツカー！　クレープちょうだいよ〜〜」

自分の耳を疑った。が、明らかに「クレープちょうだいよ〜」と言っている。

そして妻を見ると。なんと妻は寝ながら両手で大事そうにクレープを持つような格好をして（もちろん実際にクレープはない）、それをゆっくり口に近づけ、ムニャムニャと食べているのだ。しかももの凄く幸せそうな笑顔。僕はビックリした。寝言だけならまだしも、寝ながら食べるフリをするヤツを初めて見たからだ。

つまり、夢の中で友人のナツカにクレープをおねだりして、それをもらって食べた！　それがまんま夢を飛び越えて体がまんま表現してしまっていたのだ。

僕はビックリして思わず「おい！　何やってんだよ」と大きめの声で注意した。すると妻は起きるかと思ったら、次の行動に出た！

なんとクレープを食べることはやめずに、毛布をこっそり上に上げて、それで顔を隠し、引き続きその中で手を顔に近づけクレープをムニャムニャ食べているのだ（もう一度言っておくが寝ている時なので実際にクレープはない）。

普段、お菓子を食べ過ぎてると僕に注意されるので、妻は食べてるところを毛布で隠したつもりなのだろう。僕に注意された時はヒヤッという顔をしたが、毛布で隠して食べ始めた後はまた笑顔。改めて言うが、妻の行動は寝ながらの行動である！　僕は呆れると言うよりも感心した！　あまりにも幸せそうに毛布で隠してクレープを食べてるつもりの妻を見て、「幸せそうだな～」と心の中でつぶやき、僕も再び眠りについた。

ネッペ妻の奇跡の生態。感動リポート第2弾！

うちの妻のみゆきちゃん（南伸坊似で体重80kg）は寝ている時に寝言はひどいわ、寝屁（ネッペ）はするわ、子供以下、いや、犬以下であると同時に、こんな人間もいるのか！　という研究対象として最適である！　ということは前回述べた。

そんなうちの妻の寝ている時の仰天ニュースはある冬の夜のことだった。

僕が仕事で疲れて寝ていると、妻が「まずい！」と言って跳び起きた。僕もその声で目を覚ました。妻は僕に目もくれず寝室から出ていった。

何事かと思い、僕も寝ぼけまなこをこすりながら部屋を出る。そしてリビングに行ってみる。妻の姿はない。いったい何が「まずかったのか？」。

突然跳び起きて出ていくほどまずいのだから、よっぽどのまずさなのだろう。僕は予想した。仕事で事前にやっておかなきゃいけないことをやり忘れたのか？　確かにそれはまずい！　それとも大事な銀行振り込みでも忘れたのか？　モノによってはそれもまずい。しかし妻が外に出ていった形跡はない。

答えが出ないまま僕は寝室に戻った。と、トイレの扉が開く音がした。そう！　妻はトイレに行っていたのだ。僕は「なるほど！」とうなずいた。妻は尿意を催して「まずい！」と思いトイレに行ったのだ！　それが答えだと思った。

しかし正解は僕の予想を超えていた。トイレから戻ってきた妻は、なんとパンツを膝まで下げていた。もちろん股間には黒いコウモリが張り付いている（女性の股間に付いているコウモリ＝生え茂った陰毛のこと）。その姿を見てまず僕は目を疑った。妻の顔は笑顔だ。そんな格好でなぜ笑顔なのか？

僕の目にはさらにショッキング映像が飛び込んできた。妻が膝まで下げていたパンツがびしょびしょなのだ！　昔、僕がデパートのトイレに入り「ビデ」と書いてあるボタンを何の装置かも知らずに押してしまい、膝まで下げていたズボンがびしょびしょになった経験があったが、うちのトイレにはそんな装置はない！

ということは間違いなく、妻のパンツを濡らしているのは尿！　妻が自らした小便でパンツがびしょびしょに濡れている。ということは、漏らしたか or 勢いよくかかったか？　が、うちの妻は馬ではないので、こんなにパンツがびしょ濡れになるほど尿が飛ぶはずはない。フライング尿！　するわけないのだ。ということは、そう、妻は漏らしたのだ。そう。妻の「まずい」は「小便を漏らした〜」の「まずい」だったのだ。寝ていて小便を漏らし「まずい！」と思いトイレに駆け込んだものの時すでに遅し！　謎はすべて解けた。

僕の妻は23歳にもなって寝小便したのだ。が、妻は、寝小便したくせにパンツを膝まで下げたまま「よかった〜」と言った。僕は目だけでなく耳も疑った。確かに妻は言った。「よかった〜」と。小便漏らしておいて言えるセリフではない。こんな妻に怒ってはいけないと思い優しく注意した。「何がよかったんだよ！　漏らしてるよ」と言った。すると妻の証言ですべての謎が解けた。

その夜、妻は舞台でコントをやっている夢を見ていた。が、その途中からもの凄くうんこがしたくなった。まずい！　このままだとうんこを漏らす〜〜漏らした〜〜！　と思った瞬間目を覚ました。そしてトイレに駆け込んだ。トイレで「うんこ漏らした〜」と思ってパンツを下げる。すると、そこには漏らしたはずのうんこがない！　小便でびしょびしょになっているがうんこはない！　つまり「私はうんこ漏らしてなかったー！」と安心し、あまりの嬉しさにパンツを上げるのも忘れ、寝室に戻ってきて僕の顔を見て「よかった〜」と言ったのだ。妻の「よかった」にはそんな複雑なストーリーがあったのだ。大人になって小便漏らしておいて「よかった」発言したのはうちの妻が日本、いや世界初だ！

その話を聞いて、僕は怒っていいのか、悲しんでいいのかわからなくなった。なので、とりあえず妻が喜んでいることだし、僕も「よかったよかった」と喜んでみた。人間は不思議なモノだ。どの感情に属するものかわからない事件が起きた時、自分が「今のは嬉しいことなんだ！」と決めれば自分の感情も丸め込めてしまうものなのだ！

膝まで下げたパンツを脱いでベッドに入る妻。再び笑顔で「ホントよかった〜」とつぶやく妻。僕はこんな妻と結婚して、「ホントよかった〜」。

明け方のトイレで迎えた「寂しさ」の向こう側。

人間誰しも「寂しさ」を感じることはある。「祭りの後」や「修学旅行の帰りのバス」など楽しかったイベントの後に感じる寂しさもあれば、「愛する人との別れ」などの哀しい思い出として何年たっても残る寂しさもある。「寂しさ」という感情は不思議なモノで、大きな事件がなくてもふとしたことで感じるからやっかいである。

まだ結婚前、家でカップラーメンを食べてＡＶ見てオナニーする。食欲と性欲という二大欲は満たしたはずなのに、なんか寂しい。新幹線に３時間ほど乗っててその間に携帯を切っている。そして新幹線を降りてわくわくしながら留守番電話サービスセンターに問い合わせる。留守電０件。なんか寂しい。続いてメールを問い合わせる。数秒後に出てくる「０件です」。なんか寂しい。前に自分より10歳ほど年上の女性、当時38歳くらいの女性とHしたことがある。Hはとても楽しかったのに翌朝、その人がパンストはいた瞬間に見えたお腹のたるみ。なんか寂しい。

このように寂しさはゲリラのように人に襲いかかってくる。

では、人間、寂しさが積もった時、どういう行動をするか？　普通は心の中でそれを噛み殺す。つまりは我慢だ。ではでは、その我慢の限界を超えた時、人はどうなるのか？

ここ1か月ほど僕は仕事がかなり忙しく毎日家に帰る時間が朝5時くらいだった。逆にこの1か月、うちのプリティーワイフみゆきちゃんは結構暇で早く家に帰ってくることが多かった。うちの妻は朝まで僕の帰りを待っていることが多い忠犬ハチ公のような妻だ。

朝5時に帰ってくると妻の手料理が待っている。朝5時にすき焼き、焼き肉、しゃぶしゃぶなどが出迎えていることも多く、それを食って寝るわけだから僕の体重も90kgを超え、妻の体重も80kgから80台後半へ、じわじわランクアップを目指している。

で、前はその朝5時帰りが週に2〜3回だったのだが、ここ1か月はほぼ毎日がそうだった。僕を待っている間、やることはあまりない。テレビも見るがそんなに面白くはない。掃除・洗濯もとっくに終わっている。約1か月にわたり、妻は深夜一人で「待つ」寂しさと勝手に戦っていたらしい。僕にそんなことを言うこともなかったので気にしていなかったのだが、ある日それは爆発した！

その日の帰りは朝7時頃になってしまった。家に帰ってくると妻の姿がない。まずはリビング、キッチン、寝室と見るがいない。コンビニに買い物か？　と思ったが靴はある。ちょっと心配になって携帯を鳴らす。すると離れた所から妻の携帯の鳴る音。

そこはトイレ！　すぐさまトイレに向かい、妻の名前を呼ぶ。すると「は～い」という声。しかし、その声は涙にかれた声だ。続いて「お腹痛いの？」と聞く。すると妻がまた涙にかれた声で「違うよ～」と言う。僕は「どうしたの？　なんかあったの？」と続けると、妻はトイレの中から叫んだ。

「もう寂しいの～～」

泣きながら叫んでいる。いきなりトイレの中から、しかも泣きながら「寂しいの～」と言われても何がなんだかわからないので、とりあえず「早く出てきなさい」と言った。すると妻はトイレから叫んだ。「嫌だー」。僕は思った。「まだ冗談言う元気あるじゃねえか」と。そして「もうそういう冗談とかいいから」と言うと「ホントに嫌だ」と叫ぶ。そう。妻は待つ寂しさが積もり積もってどうしていいかわからずトイレに籠城する！　という凄い手段に出たのだ。

それから約1時間。トイレ前にいる僕「出てきなさい！」。中にいる妻「嫌だー」。その攻防が続く。その間に妻はこの1か月の寂しさを語った。トイレの中から。『未成年』のいしだ壱成よろしく思いを語った。

僕が、妻の行動が妻の寂しさゆえの籠城なんだということが理解できた時、トイレの鍵がガチャと開き、妻がトイレから飛び出てきて「ゴメンね～」と言って泣きながら僕のことを抱きしめた。

「寂しい」と人に言うのは意外とできないモノである。たぶん言っても笑われるかもしれない。だけどその寂しさ、人に「寂しいのだ」とわかってもらえるだけで寂しさは紛れるものなのだろう。

僕はまた一つ大人になった。

妻の顔はガッツ石松似だということを踏まえて、もう一度最初から読んでいただきたい！

ぎんちゃんが亡くなった日。

先日、僕が妻の次に愛していた人、祖母のぎんちゃんが亡くなった。96歳だった。僕の中では哀しい気持ちよりも「お疲れさま」という想いが強かった。

一昨年、僕が突然結婚して、ぎんちゃんのところに妻のみゆきちゃんを連れていった時、ラーメンマンのような髪型に体重80kg、顔も体も豚にそっくりな妻を目の前にして、ぎんちゃんはずっとふてくされていた。

あとで理由は判明した。後日、うちのお母さんに「こないだ、おさむが男を連れてきて結婚するって言ってた」とボヤいていたのだ。確かに、世の中の老人にうちの妻を見せたら9割が男！　と答えるかもしれない。

別の日、もう一度妻をぎんちゃんのところに連れていき紹介したところ、ぎんちゃんは言った。「可愛い奥さんだこと～」と。もしかしたらあの言葉はぎんちゃんにとって人生最後の嘘（社交辞令）だったのではないか？

そんな愉快で愛すべきぎんちゃんが亡くなった日。肝心のうちの妻は仕事で海外に行っていた。しかもその国とはハンガリー！　数ある国名の中でもその名前の響きがちょっと愉快なハンガリー。しかも、ハンガリーでサーカス修業をするとかいうロケだったのだ。

妻の滞在先も知らなかったので、ぎんちゃんが亡くなったことを連絡することもできない。仕方なく僕は一人で実家に帰った。するとここ数年会ってなかった親族が続々と家にやってくる。結婚後初めて会う人もいて、そんな人は小さな声で「おめでとう」と言う。葬式でおめでとう！　の声が飛ぶぐらいなら、改めて結婚式はやっておくべきだった！　と実感。

ぎんちゃんの遺体を前に通夜が始まる。集まった親戚やご近所の人は、うちの可愛い紅の豚をぜひ生で見てみたかったらしい（珍しいペットを見たい気持ちと同じだ）。みんなが聞いてくる。「奥さん、来れないの？」。僕が「仕事なんで」と言うと、「あら？　何のお仕事？」。僕は「今、海外に行ってて」と言う。この辺で「残念ね～」と言って終わりにしてくれればいいのに、質問は終わらない。「どこの国に行ってるの？　アメリカ？　ヨーロッパ？」とか喋り出す。僕は「ハンガリーです」と言うと、その聞きなじみのない愉快な響きにみんなちょっとニヤッとする。お通夜なのにニヤッとする。

そして「あら？　ハンガリーに何しに行ってるの？」とさらに聞いてくる。「なんかいろんなことしてるみたいです」とごまかすと「どんなことしてるの？　ハンガリーで」とさらに突っ込んでくるので僕は面倒臭くなり言った。「ハンガリーでサーカスの修業に……」。その瞬間、みんながクスッと笑った。お通夜なのにクスッと笑った。おそらく妻が全身タイツを着てトランポリンに挑戦し、床に落ちて転がる姿を想像したのだろう。なんて失礼な奴らだ！　と思ったが仕方ない。

芸人を妻に持つということはこんなふうに小馬鹿にされる状況が多いのだろう。ダチョウ倶楽部やたけし軍団の方と結婚している奥さんも、たびたびこんな状況あるんだろうな〜なんて思ったりした……。

で、そんな時だった。僕の携帯がバイブした。電話を取るとハンガリーの妻！　なんにも知らない妻は「元気ー？」と叫んだ。体は元気だがこの状況で元気とも言い返せない。周りにいる人は妻からの電話じゃないか？　と興味津々の目だったので、ここではとりあえず妻にぎんちゃんが亡くなったことは言うまい！　と心に決め、僕は仕事の電話のように対応。

すると妻は「今日トランポリンに挑戦したの〜〜」と愉快なチャレンジを笑いながら話す。僕のすぐ横にはぎんちゃんの遺体。僕は小さな声で「うん、うん」とうなずいた。妻は僕のリアクションが良くないので「つまんね〜の〜！」とまで言い出す始末。お通夜にいるのだから「つまらない男」と言われても仕方ない。それから数十秒、愉快な妻とつまらない男の攻防は続き電話を切った。

正直、僕がぎんちゃんが亡くなったことで相当へコんでいたのも事実。だけど、なんにも知らない妻の電話で気持ちが少し持ち直したのも事実。「バカに付ける薬」とはよく言うが素敵なバカの場合、「バカは付ける薬」になるのかもしれない。

その日、僕はぎんちゃんの前で妻と愉快な日々を過ごしていることを報告した。

女性の「神秘の穴」、その驚くべき研究結果！

中学生の時にKちゃんという好きな女の子がいた。もちろん相手に僕の気持ちは伝わってないが、好きだからこそ軽くイジめてしまったりするのが子供の恋心ってものだ。ある日、Kちゃんが休み時間、トイレに行くたびに何かが入った小さな布袋を持っていく姿が目に映った。男子生徒にとっては、その行動がなんなのか？　そしてあの布袋の中に何が入っているのか？　議論になった。「タバコが入ってんじゃねえか？」なんて説を唱える馬鹿野郎もいた。

そして、トイレから戻ってきたKちゃん。手に持っていた布袋を、僕はさっと取り上げ、「何が入ってんだよ～」と言って、袋から出した。すると中から出てきたのは、小さなビニール袋に入った謎の白い物体。それを見た瞬間、僕と男子一同は「なにこれ？」。Kちゃんは即座に「いやだー」

と言って泣き崩れ、女子全員の白い目が僕に向けられた。そして女子の学級委員長が僕のほうに走ってくると大きなビンタ。

あの時、なんでビンタされたのか、ハッキリ理解できるようになるまで、あと数年かかったわけだが……。今、あんなことを仕事場でやったら即セクハラ裁判にかけられ敗訴するだけであろう。

中学生時代は、女子の体に関する疑問や興味が盛りだくさん。わからないことだらけだった。男子諸君は経験あると思うが、女性の体でおしっこする穴と子供を産む穴（＝Hする穴）が別の穴だなんてまさか思っていなかった。それを知った時は、初めて黒船を見た江戸時代の人なみにビックリしたはずである。

そんな女性の体に関する疑問なんかも年と共に減っていく。驚くこともここ数年ない。

しかし！　こないだ仕事場で男性が10人、女性が2人ほどいる場で話をしている時に、その女性に、「女性のある行動」に関して結構ビックリすることを聞いた。

それは、女性の中にはお風呂に入ってもアソコ！（ここでは、「神秘の穴」と呼ぼう）を洗わない女性もいるというのだ。

それを聞いた瞬間、男性全員「えー！」「きったね〜」と叫び声をあげた。が、女性は反論する。別に不潔だから洗わないのではなく、洗いすぎると粘膜がなくなってしまい、病気になる人もいる……というケースもあるらしく、そういう情報が耳に入り、怖くて洗えなくなってしまう人もいるというのだ。

しかも、その女性いわく、たいがいの女性は、男がボディーソープをつけたアカスリでごしごし魔法の杖を洗うかのように洗う人はほぼいない！　というのだ。神秘の穴は子供が産まれてくる大事な穴だけに、そんな手荒な扱いはしない！　お湯だけで、さっと洗い流す人も多いはずだ！　と主張した。

30過ぎて知った女性の意外な行動。みんな風呂に入ったら、ゴシゴシいくと思っていたのに……。

さっそく家に帰り、僕も妻のみゆきちゃんの行動を観察することにした。

顔も体もデーブ大久保似の妻とは何度も一緒にお風呂に入っているが、神秘の穴をどうやって洗っているのか？　なんて注意して見たことがなかった。もちろん、僕がその日妻のその行動を観察する目的は言わずに、一緒にお風呂に入った。

ちなみにだが、僕の体重は90kg。妻は80kgのため、最近風呂の底がへコんできている。このままではいつか愛の重さで風呂の底が抜けることだろう。

で、一緒に湯船に入る。しばらくの湯船でのおのろけ話の後、妻が湯船を出て、アカスリにボディーソープをつけて体を洗い始めた。

僕は見て見ぬフリをして観察！　妻は自分の手から洗った。そして首、ふくよかな胸～腹。アカスリを持った手が神秘の穴に近づく。とそこを避けて足首に行った。

妻の手は足首、スネから再び股にやってきた。このままシャワーで洗い流せば妻も洗わない派所属になる。と……。妻がアカスリを真っ直ぐに広げ、そしてそれを股間にあてがい、左手を前に、右手を後ろにして、自分の股間をアカスリでゴシゴシこすり始めた。思わず自分の目を疑う！　男子以上に激しくゴシゴシだ！　僕がビックリしすぎて思わず妻と目線が合うと、妻は照れることもなく「ニコッ」と笑顔。

世の中には神秘の穴をゴシゴシするゴシゴシ派もいる！　ということをここに宣言しよう！

奇跡の生還を遂げた妻、命の重みを抱きしめる夫。

僕の妻のみゆきちゃんは「芸人」という仕事をしているため、何かと体を張ることが多い。なので、家に帰ってきて、今日どんな仕事をしたか？　なんて話も普通の家庭とはかなり違う(と思う)。奥さんが普通の会社で働く女性だとしたら、「今日うちの上司がね～」から始まる愚痴か不倫の噂などが大半を占めるはずだ。が、こないだ妻が仕事を終えて家に帰ってきて言った一言が「良かった～、鮫が来なくて」だった。普通の主婦がまず言う言葉ではない。しかもかなり怒っている様子。そんなことを突然言われて僕も頭の中は「?」で一杯だ。

何が起こったのか？　詳しく聞いてみると、その日、うちの妻はハワイから帰国した。ある番組のロケでハワイに一泊で行ったわけだが、そこにいたのはうちの妻が所属する和製チャーリーズ・

エンジェル、森三中。そしてたくさんの芸人さん。

その番組で、うちの妻は、新婚で今ホットなお方、出川哲朗さんとハワイの海にすぐ転覆しそうな船（というかボートみたいな物）で沖に出たらしい。海に出る前に、番組のスタッフが、ニヤッとして「絶対、船を転覆させないでくださいね」と言ったらしい。その言葉は芸人さんにとっては「転覆させろ！」というふうにしか聞こえないのである。

で、うちの妻と出川さんの乗った船がハワイの海の沖に出て、お約束の転覆！

他の芸人さんやスタッフの乗った船は、離れた場所にいる。妻と出川さんは、船が転覆し海の中に落ち、ナイスリアクションを見せていたらしいのだが、遠くからスタッフが「早くあがれ！」と本気顔で指示を出していた。しかも「鮫が出るから早く！　早く！」と焦っている。

芸人にとってはその声は、面白いリアクションをさせるための声にしか聞こえない。そう思って、慌てるリアクションを取る妻。

が……！　そこのスポットはホントに鮫が出没する場所だったのだ。観光客に鮫を見せるために、ご丁寧に餌付《えづ》けまでされている場所。ということは鮫の出る確率がかなり高い！　スタッフが言っていた「船を転覆させるな」の言葉はフリではなかったのだ。

しかも、妻は丁度その日「生理（メンスとも言う）」の2日目。股間から血液に近い液体が海に流出していることは確かだった。いくら汚物といえども、鮫さんにとってはいい撒き餌になってしまう可能性あり。

スタッフにその情報が入り、余計に顔つきが変わる。汚物に鮫が誘われて体を噛まれたなんて女性は聞いたことがない。噛まれるだけだったらいいが、たぶん食べられてしまう。

そんな事実も知らないうちの妻はゆっくりとスタッフの乗っている船に近づき無事上陸。なんとか鮫さんの登場とはならずに済んだのだが……。

船に上がった途端、スタッフに「転覆させるなって言ったでしょ！」とキレ気味に怒られたらしい。

そんな、テレビの放送的にはとっても愉快なハプニングを起こし、家に帰ってきた妻は「ホントに鮫が出るなら先に言えよ〜！」とカンカンに怒ってその話をした。その話を聞いて、僕は唖然とした。

皆さん考えてほしい。自分の奥さんが鮫に食われてしまった！　としたらどうしますか？　しかも、生理の汚物が撒き餌になって、それで体をパクリといかれた！　と言われたらどうしますか？

妻が芸人という仕事だけに「なんでそんな危ないことすんの！」とも言えず、ただ、鮫に食べられずに戻ってきた妻が目の前にいることが嬉しくて思わず妻を抱きしめて「鮫に食べられなくて良かった〜〜」と本気で言ってしまった。というか自然にその言葉が出てしまった。

妻も僕が本気でそんなことを言っていることに気づき、体重80kgの体で僕を抱きしめ返し「良かった……鮫に食べられなくて」と言った。しかも天女のような笑顔……。

セリフさえ聞こえなければ、一組の夫婦が愛を確かめ合って抱きしめ合っている光景だ。妻が芸人という仕事をしている以上、これからもそんなことは多々あるだろう。

数日後、仕事から帰ってきた妻が笑顔で話し始めた。「今日タバスコ一気して、収録中に本気でゲロ吐いちゃった……」。そんな妻に、どんな言葉をかけてあげたらいいのか？

まだ模索中だが、とりあえずは「ナイス、ファイト！」と言うようにしている。

ぎんちゃんの法事で、鈴木家の嫁姑戦争勃発!?

僕ら夫婦は結婚式をしていない。そのため、うちの美人妻みゆきちゃんは、僕の親戚一同に一回も会ったことがない。今年、祖母のぎんちゃんのお葬式の時も、運良く（？）海外の仕事に行ってくれてたので会わせずに済んだ。別に会わすのが恥ずかしいわけではない。僕が嫌なのは、親戚たちの会いたい理由が、「珍しい動物を見たい！」的好奇心でしかないからだ！

しかしうちの妻と親戚一同がついに対面する日が来た。祖母の四十九日の法事。妻も休みが取れたので、実家に連れていくことになった。

自分の妻を親戚に紹介するのに、なんでこんなにブルーにならなきゃいけないんだろうと思いながらも家に到着。妻も心なしか緊張している。家に着くや否や20人近くの親戚がお出迎え！　みんな「初めまして〜」とうちの妻に挨拶しながらも明らかに顔がニヤついている。笑顔ではない。明らかに面白い動物を見た顔なのだ。名古屋で医者をやっているおじさんがいるのだが、その人は、さすが医者！　という感じで唯一紳士的な挨拶。と、思ったら、突然、「二人はいつ知り合ったのかな？」と聞いてきた。

僕たち夫婦の出会いから結婚までの話は一般の人には到底理解不能だと思ったので、ゆっくりかみ砕いて話をしよう！　と思っていたところ、妻が「私たち交際0日で結婚したんですよ」と言ってしまった。それを聞いたおじさんは、紳士っぽく「ハハハハ。で本当は？」と全く信じてない。仕方なく僕が「本当なんですよ」と言うと、「おばあちゃんの遺影の前で冗談はやめようよ」とちょっとムッとしたご様子。これ以上粘っても駄目だ！　と思い、思わず「すいませんでした」と謝ってしまった。全く悪いことしてないのに……。

親戚とのひと通りの面通しが終わった後、今度は供養のために近所の人が続々と家に集まってくる。一人一人、丁寧にうちの妻を紹介して回ろうと思ってたところ、突然、一人の親戚のおじさんTさんが立ち上がり、祖母の遺影の前に立ち「え〜、法事の前に本日はみなさまにご紹介したい人がいます。おさむの妻です」と何の前フリもなく始めてしまったのだ。これには僕も妻もビックリ。が、そんな前フリをされたからには紹介しないわけにはいかない。

僕は30人ほどの人が黒い服を着て正座している中に妻と一緒に立ち上がり、とりあえず「え〜、ご報告遅くなりましたがうちの妻です」と言った。当然、近所の人も法事の席なので「おめでとう」とも言えず拍手することもできない。微妙な空気が流れていた時だった。うちの妻が、前に出てもの凄く大きな声で「鈴木美幸で〜す。よろしくお願いしま〜〜〜す」と超元気に挨拶してしまったのだ。四十九日の法事で若手芸人らしさ満開のフレッシュな挨拶。祖母の遺影の前でヤングな挨拶！　その元気すぎる挨拶に、みんなは見て見ぬフリで下を向いたりしている。

気まずい空気はどんどん蔓延したので、僕は妻を連れて自分の部屋に帰っていった。僕が「どうしてあんな元気いっぱいの挨拶をしたのか？」と尋ねると、妻は答えた。「なんとなく場の空気が沈んでたから」。

四十九日の法事だ。沈んでて当然である。その空気を盛り上げる必要もない。最近、営業に行くことも多い妻の芸人癖がここに出てしまった。ＴＰＯを間違えるとはまさしくこのこと！

僕と妻は、その挨拶でぐったりしてしまい、法事が始まる1時間ほど前に、「ちょっと休むか？」と言って15分ほど寝ることにした。なんかその時見た夢の中で念仏の声とかが聞こえた気がした。で、ゆっくり目を覚ましてビックリ！　僕と妻はあれから4時間も寝てしまったのだ。当然法事も終わっている。僕と妻は法事のために帰ってきたのに、部屋で寝てしまったのだ。慌てて法事が行われてた部屋に行くと、うちの母や親戚一同が後片づけ。

「寝てた！」とは思われないように、妻となるべくポーカーフェースで母のところに近づくと、すかさず「おはよ〜〜」と嫌みな一言。なぜバレたんだ！　と思って妻の顔を見ると、髪の毛がシド・ビシャスみたいに逆立って寝癖がついていたのだ！　妻もその場の空気は読み「手伝えなくてと、母は言った。「次回は手伝ってね〜。私の葬式かもしんないけど」と全く笑えない嫌み。

すいませんでした〜」と謝った。

「これが嫁姑か」とリアルに感じたぎんちゃんの四十九日だった。

妻のライヴに初出演。笑いはとったが…。

こないだ携帯のデータが全部飛んで消えてしまった。そんなこともあるかと思って、パソコンに携帯のデータは全部取り込んで保存してあった……のだが、それはもう2年前の話。つまり残っているのは2年前のデータなのである。そのデータをパソコンから引っ張り出して見ていると、今、密に仕事をしてる人の番号がなかったり、今では顔も思い出せない人の番号があったり、一回だけHさせてくれた女のコの番号があったりと、改めて2年で交友関係がここまで変わるのか？　と感慨深いものがあった。

そんな中でも改めてビックリしたのは、そのデータにはうちの妻、みゆきちゃんの番号がなかったことだ。妻と結婚してから1年半がたつ。その携帯データを保存したのが2年前。つまり、その半年の間に交際することもなく結婚してしまい、今では愛を育んでいる。

人によっては偽装結婚だとか面白結婚だとか言う。確かに最初は「こいつと結婚したら面白いな〜」というところから始まった「恋？」だが、今ではホントの愛に目覚めている。前ならいつ死んでもいいや！　と思っていたのに、今では「死ぬのは嫌だな〜。奥さんといたいから……」って考えるようになった。僕とデーブ大久保似の妻との間にはジョン・レノンとオノ・ヨーコにも負けないほどの大きな愛、またの名をＢＩＧ　ＬＯＶＥがあるのだ。

で、そんな妻が所属している森三中（夢は女ダチョウ倶楽部と言われること）が隔週で週末の深夜にオールナイトのトークライヴを行っていた。１年以上続いたそのトークライヴも先日めでたく最終回となり、出たがりの僕は、スタッフに「最終回に僕を出してくれ」と懇願。ならば妻には内緒で出よう！　ということになり出演決定！

当日、僕は深夜２時くらいにそのライヴハウスに行った。中からは妻達の話し声が聞こえてくる。客の爆笑も聞こえる。よ〜く耳を澄ますと妻の口から「うんこ」という言葉が聞こえた。深夜に「うんこ」の話で客から笑いと金を取っている妻に一瞬、複雑な気持ちになりながらも、ちょっぴり嬉しい気持ち。で、僕は妻から見えない場所で待機していた。

そして、いよいよ僕の出番だ。僕がマイクを持って突然ステージに行く。妻はさぞビックリして腰を抜かすだろうと僕もスタッフも、そして森三中の他の二人（チビのブスの村上とメガネのブスの黒沢。ちなみにうちの妻はでっかくてデブのブスの大島）も思っていた。

が、実は2日ほど互いの仕事が忙しく逢えていなかった。妻は僕を見るなり「ムータ～ン（僕を家で呼ぶ時の名前）」と嬉しそうな顔になり、僕に抱きついてきた。笑いを取ろうとしてやっているわけではない。48時間ぶりに見る愛する夫の顔に驚きよりも愛おしさを感じてしまったのだ。これにはみんなビックリ！　ステージでの80kgの女性と90kgの男性との愛の抱擁が終わると、椅子に座ってトークを始めた。

普段、妻は村上や黒沢、ましてやこのトークライヴなどでもあまり結婚生活の話をしないらしく、そのため質問もその話に集中。

そして、村上と黒沢が「大島（妻）の好きなところは？」と聞いてきたので、僕はひたすら「可愛い」の一点張り。本気で答えているのに客は笑う。そして次の質問は「大島の嫌いなところは？」だった。僕が「ないな～」と言うと、「あるでしょ～」と責めてくる。その辺から妻の様子がおかしくなった。僕が「たまに凄い失敗料理を作るところかな～」と言う。村上と黒沢は「他にもあるでしょ～」と煽ってくる。すると黙っていた妻が口を開いた。その場所はライヴである。金を払った客を笑わす場である。なのに妻は泣きながら「なんでそんなこと聞くのよ～！　そんなこと言ったらムーとの関係がぎくしゃくしちゃうでしょ～！　好きなのに～」と言い始めた。一瞬の間。その後、客は舞台で泣き出した妻を見て笑った。大爆笑だ。

客は妻が「面白くしようとして泣いた涙だ！」と思っていた。が、僕と村上と黒沢は気づいていた。その涙と抗議が本気であることに！　妻の涙でお客は5分以上笑い続けていたので、僕が登場したことはとりあえず成功。が、妻は家に帰ってからもヘコみムード。そんな妻を励ますのに相当な時間がかかった。

こんなふうに僕の計算をことごとく超えていくところが、僕が妻を愛するゆえんなのである。

うんこ宣言、そして〝ラッキーうんこ〟。

夫婦ってトイレはどうしているんだろうか？　そんな疑問がふと頭をよぎった。どういうことかというと、奥さんは平気で旦那の前でうんこしに行くのか？　ということだ。もちろん、トイレに行くだけではおしっこかうんこかわからないが、その分数でだいたい想像はつく。

僕は結婚前、彼女の家でうんこするのはかなり嫌だった。というのも、付き合っていた彼女が住んでいる部屋はワンルームが多い。なので、うんこをしに行って、おならはもちろんのこと、ふんばる音もワンルームだと聞こえてしまうからだ。

だから、なるべく彼女の家ではお腹が痛くならないことを祈っての生活だったが、緊急で彼女の家のトイレに入らなければいけない時は、ふんばりも腹八分目……というか穴八分目。つまりは、なるべく音が出ないようにサイレントなうんこを心がける。まるでこっそり泥棒に入ったかのように、抜き足差し足……抜き穴差し穴状態。万が一ふとおならがプーーッと出てしまった場合などは、すかさずセキ払いなどしてごまかすフリをする。たぶんごまかせてないが。

日々、全裸ですっごいエロいことをしてるのに、うんこをする音を聞かれるのが嫌だとは変な話だが、これはやはり僕に限ったことではない。付き合って月日がたてばOKになる人も多いが、付き合ってから1年未満は気にする。男でさえこんなこと気にするということは、女はもっと気にするはずだ。僕には女性がトイレに入って「0分＜おしっこ＜2分」という方程式がある。つまりは2分以上たった場合はうんこと決めつけている。が、今まで何人かの女性と付き合ってきた中で、この2分ルールを超えた人はほぼいなかった。

ということは、やはり男と一緒にいる時は、女性もなるべくうんこだと思われたくないため、うんこをしないか早送り気味のうんこをしているということだ。

だから付き合って一緒の部屋にいる時などは、この「うんこ問題」がリラックスできない一つの要因だったと思っている。

それに比べると、今は楽だ。僕も妻のみゆきちゃんも、お互いうんこをする前は「うんこしてきまーす」とうんこ宣言。音が聞こえようがおかまいなし！

生活していて「うんこ問題」がないことはとても楽である。が……うちには別のうんこ問題がある。僕は3か月に一回ほど、おみくじの大吉にでも当たったかのような一本の太くて長いうんこが出る。ラッキーうんこと呼んでいるそのうんこだが、妻がそのうんこを見たがるのだ！　別に妻は無類のうんこ好き！　というわけではない。妻は便秘がちのために今までそんなラッキーうんこをしたことがない。だからそんなうんこを見たことがない。理由はそれだけじゃない。

妻いわく、「愛してる人がハッピーな気持ちになるくらいのうんこなら私も見ておきたい！　私もハッピーになれるはずだから」というのだ。

その対象がうんこじゃなければ、いい言葉のような気もするのだが、さすがに僕も気が引けて……というかケツの穴を見られるような気がして……つうかケツの穴から出た物だから、それ以上なことでさすがに恥ずかしい。ラッキーうんこが出たとしても内緒にするようにしている。

時折、僕がトイレに入ってると、妻が扉の向こうから「ラッキーうんこ出たでしょ？」とうんこ査察が入りそうになる。妻のリクエストには何でも応えられる僕だったが、それだけは拒んできた。

で、先日。妻と仕事で数日離れていた。その間、メールや電話でやり取りしていた。僕はもともとメールはそんなに長文派じゃない。妻はなにかと長文派だ。と、妻がメールで「メールが短いから寂しい」と打ってきた。つまりは「メールが短いのは愛がない証拠だ！」と言っている。そんなメールに腹が立って、僕と妻はメールでプチ喧嘩状態。最後に妻はこんなメールを送ってきた。

「私を愛している証拠があるの？」と。

愛している証拠って難しい！　でも、これに返さなければ僕が負けてしまう。悩みに悩んだ結果、こんなメールを送った。「今度ラッキーうんこが出たら見せるよ！　僕は愛してる人だったらうんこも見せられる」と。無茶苦茶だな〜と思いながら送った。すると妻から速攻返事がきた。「素晴らしい！　それが愛だ！」。

妻にとっては互いの恥部も汚物も見せ合える、それが愛の証《あかし》らしい！

これがホントの赤ちゃん芝居でしゅ〜。

先日、僕は居間のソファで、日本一愛嬌のあるブスことうちの妻のみゆきちゃんに膝枕をしてもらいながらテレビを見ていた。体重90kgの夫と80kg超の妻の愛のある膝枕。公園でやっていたら非常に迷惑なこの行為の最中に妻がつぶやいた。「早く赤ちゃん欲しいな〜〜」と。

妻は現在芸人として精進の身であるので、「3年は子作りはやめよう！」と先日、ファミレスで会議を開いたばかりだった。

僕がそのことを改めて確認するかのように言うと、妻が急に僕の頭を撫でながら「おさむちゃん、かわいいですね〜」と赤ちゃん扱いをし始めた。妻に甘えるのが好きな僕も調子に乗って、「ママ〜」と赤ちゃんのように甘えてみた。ちなみに僕は現在32歳だ。すると妻が続けて赤ちゃんに話すように「おさむちゃん、お腹すきましたか〜?」と言ったので僕は赤ちゃん風に「お腹ペコペコでしゅ〜」と答えた。

ちなみに、赤ちゃんの真似をする時に語尾が「でちゅ〜」や「でしゅ〜」となってしまうのは『サザエさん』のタラちゃんの悪しき影響で、実際の赤ちゃんはそんな言葉はほぼ使ってないのが現実である。

そんな話はいいとして、「お腹ペコペコでしゅ〜」と答えた僕に妻はなんと、「じゃ、おっぱいあげますね〜〜」とTシャツをまくり上げ、自分のご自慢のおっぱいをボロンと出し「はい、おっぱいですよ〜。飲みなさ〜い」と言い出したのだ。

ここでやめとけばいいものを、僕も調子に乗って「いただきま〜す」と言って、妻のおっぱいを赤子のようにパクッと吸った。ちなみに言っておくが、妻は、「最近夫とご無沙汰だわ〜。そうだ!赤ちゃんごっこをすれば、夫は自然に私の乳首をなめるわ!」と駄目なアイデアがひらめいて乳首吸わせ作戦に出たわけではない。

もちろんこの時の僕も本気で赤ちゃんプレイを求めていたわけではない。妻が僕を赤ちゃん扱いしたので、それにちょっと応えただけだ。

で、妻のおっぱいを赤子のように吸う僕。ヘルスでMEGUMI似の女性に同じ行為をしていれば、僕の股間のアイツも興奮しだすところだが、これはあくまでもデブ夫婦の単なる悪のりだ!……と僕は思っていたのだが……。妻の目の色が途中から変わった。あえぎ出したわけではない。

仮にそうだとしたら、そんなことをここに書いてもこれを読んでるあなたが迷惑するだけだ。

おっぱいを赤子のように吸う僕を見て「赤ちゃんみたいでかわい〜〜」と言い出したのだ。32のおっさんを捕まえてだ！ 僕が赤ちゃんプレイ、もとい、赤ちゃん芝居を10秒ほど続けて飽きたので「はい、終わり！」と言うと、妻が「アンコール！ アンコール」と言い始めた。

女性の母性本能が急激に目覚めることがあるというが、このちょっとしたおふざけの赤ちゃん芝居が「赤ちゃん欲しい」という思いを刺激してしまったのだ！

僕は妻のアンコールに応えず「もうダメ！ 終わり！」と言うと、妻は「あと10秒だけ！ お願い！」と土下座攻撃だ。妻にそこまで言われたらと思い、僕の必死の赤ちゃん芝居が再びスタート！ 妻のおっぱいを赤ちゃんのように吸う。しかも2回目からは妻の僕への演技指導が入る。「もっと赤ちゃんみたいに吸って！ 舌で転がさない！」。ここまで赤ちゃん芝居！ と言ってきたが、これでは完全な逆赤ちゃんプレイだ！ その井筒監督並みの指導はしばらく続いた。

そしてある日の朝。うちの妻は時折寝起きがすんごくハイテンションな時がある。寝ている僕の耳元で妻の声が響く。次第にその声がハッキリしてくる。こう聞こえた。「は〜いミルクの時間ですよ〜」。僕はビックリしながらも「ホントに勘弁」と言うと、妻は「赤ちゃんはそんなこと言いませんよ〜」と返した。このままじゃ安眠できない！ と思い、仕方なく妻のおっぱいを赤ちゃんのように吸った。僕は寝起きから何してんだ！ と思いながら。そんな僕を見て妻は言う。「かわい〜〜」。もう一度言うが僕は32歳のおっさんである。

それからも時折、妻の僕への赤ちゃん芝居、っていうか赤ちゃんプレイ、つうか赤ちゃんコントのリクエストはある。でも、そんなことで妻の赤ちゃんが欲しい気持ちが抑えられて仕事に専念できるなら！　と思い、僕も赤ちゃん役の腕をメキメキ上げ始めている。

夢占いで見えてきた、おさむとみゆきの老後は？

お腹の贅肉が指じゃなく手のひらでギュッと握れるほど肥えている我が家の可愛い子豚（大豚か？）こと妻のみゆきちゃんが、先日、家である奇行を見せた。

夜中に僕がリビングでワープロに向かいながら仕事をしていると、寝室で寝ていたはずの妻が、眠そうな目をこすりながらリビングに歩いてきて、僕にこう言った。

「リモコンどこだっけ？」

クーラーを入れたまま寝ていたので、寝てる途中に寒くなり、リモコンを探す。しかし、リモコンをどこに置いたか忘れてしまい困ってしまう。誰しも一度は経験あることだ！　……と僕は勝手に思っていた。「ホントにうちの子豚ちゃんは手間がかかるペットちゃんだ～」と思いながら寝室に行きリモコンを探してあげる。部屋に入るとすぐ目の前に白いクーラーのリモコンがあった。僕が「ここにあんじゃん」と言うと、妻は首を横に振り「これじゃない！　もっと小さい、500円玉くらいのヤツ」と哀しそうに言う。

眠そうな妻に「それ何のリモコン？」と優しく問いかけると、5秒ほど無言状態の後に、妻が自分の頭を叩きながら「あれ？　私何やってんだろう？　あれ？」とつぶやき始めたのだ。ビックリした僕が「リモコン探してたんでしょ？」と聞くと「何のリモコンだっけ？」と僕に質問を始めた。ここまで読んでお気づきの方もいるだろうか？　そう。妻はずっと寝ぼけていたのだ。いったいどこからどう寝ぼけていたのか？　妻の証言をもとに解説しよう！

その日、妻は夢の中でベッドの横に置いてあったはずのリモコンをなくした夢を見た。それが何のリモコンかわからないが500円玉ほどのリモコン。夢の中で必死にリモコンを探す妻。が、リモコンはない。そして体を起こす。ポイントはここ。妻は夢を見ながらにして、実際に起きあがり始めたのだ。そのまま、半分夢を見ながら部屋の中を数分、リモコンを探しまくったらしい。布団をめくったり、タンスを開けたり。が、500円玉ほどのリモコンはこの世に存在しないので、あるわけもない。

で、リモコンがいっこうに見つからないので「これは夫に聞くしかない」と思い、リビングで仕事している僕のところに来た……というわけだ。つまりは歩いて僕のところに来た時も夢見状態だったのだ。

妻の寝言がひどい！　というのは前にも書いたが、ここまで来るともう夢遊癖である。起きながら夢の続きを見ている人を初めて目の当たりにして仰天したのもつかの間、翌日、ベッドで寝ている妻の寝顔を見ながら僕もベッドにつこうとすると、妻が寝言を喋り始めた。その寝言に自分の耳を疑った。

「杖、買いに行かなきゃね」

妻の寝言にはも慣れっこだったが、寝言にしてはあまりにものビックリワードだったので、僕は思わず「杖?」と言葉に出して反応してしまった。すると妻は、「うん」とうなずく。夢の中の妻との会話が始まった。僕の中で「なぜ杖なのか?」という疑問が興味に代わり、寝言に喋り返してはいけない！　という昔からの言い伝えを破り、寝ている妻に喋りかけてしまった。

「なんで杖買いに行くの?」と。

すると妻は寝ながら大きい笑顔を見せ、寝言でこう答えた。

「老後のためでしょ……」

ちなみに僕は現在32歳。老後のことを考えるにはあまりにも早すぎる年齢だ。

僕は妻の夢に出てきたリモコンと杖、ちょっと気になり、夢判断の本で調べてしまった。

すると、まず「リモコン」とは自分の管理能力を表しているらしく、「リモコンを探す」ということは、「何かをもっと自由に操りたい！」という心理が隠れているというのだ。

そして「杖」。夢の中で「杖」は、なんと「男性の性器」を表しているらしい。実はここ最近、僕の股間に付いてるハリー・ポッターの魔法の杖はちょっと元気がない！　子作りのために妻はちょっと心配してたりもしてた。つまりは「老後のために杖を買う」ということは老後の僕の股間の杖を心配しているということか？

もしかして「リモコン」の翌日に「杖」ってことは、「僕の股間の杖をもっと思い通りに操りたい」ってことか？　杉本彩も見なそうなこの夢。僕は夢の中で妻にチンコの心配をかけてたみたいだ。スマン、みゆき……。

みゆきの勝負下着はセクスィ～なブラジャーと…？

デパートなどの女性の下着売り場って結構混んでいるイメージがあるが、男性の下着売り場って、なんか閑散としているイメージがある。女性は下着を買うということに時間を割《さ》くが、男性はそうではない。男性にとって下着を買うって結構面倒なことだったりする。

男はだいたい、小学生時代は親の買ってきたブリーフ（主にグンゼ）で、中学生くらいになると、トランクスをはくようになる。つまり男性にチン毛が生え始めるのとほぼ同時期に、下着にも気を使い始める。かと言って女性のように下着にこだわる人は少ない。男性にとって下着とはそんなに格好悪くなければいい。そんな物のような気がする。どちらかと言えばどうでもいい物。だから洋服を買いに行くことに時間はかけても、下着を買うことにそんなに時間は割かない。

ちなみに僕は一度買った下着は長いこと使う。だから、最後は破れてしまうことも多い。別にもったいないからというわけではない。下着を買いに行くのがなんか面倒だからだ。

5年ほど前、仕事仲間と温泉に行った時のこと。脱衣所で着替えてパンツ一丁になっている僕のお尻の部分に知り合いA君の視線が刺さった。僕は心の中で思った。「あれ？　A君ってそっち派？？」と。が、A君は言った。「お前、どうしたの？　それ」。僕は自分のパンツの後ろ側を手で触ると、なんと見事なまでにパンツのお尻の割れ目の部分が真っ二つに切れていたのだ。SMグッズでお尻の割れ目の部分に丸ごと穴が空いてるパンツがある、まさにあんな感じ（このたとえ、わからないか……）。

僕のパンツははきすぎて破れてしまったのだ。運悪いことに、僕は当時SMにハマっていた。しかもかなりのM。A君は真面目な顔で言った。「女王様にやられたのか……」。そう、A君はその破れたパンツをはくことが女王様が僕にした遠隔プレイだと思ったのだ。僕が真顔で否定すればするほど、A君は「大丈夫、大丈夫だから」と言った。疑いの目で……。

そんな恥をかくくらい僕は下着を買いに行くのが面倒で、一度行くと10枚以上まとめ買いしてしまう。3年ほど前、当時付き合っていた女性にパンツを買ってきてもらったのだが、その中に紫のヒョウ柄のパンツがあり、それを一度もはくこともなく、その彼女とは別れ、以後、人に下着を買いに行ってもらうのはやめた。

現在はうちの妻、みゆきちゃんと買い物に行くことが多いので、そのついでにパンツもこまめに買うようになった。が、結婚当初はあまり僕の下着選びには口を出さなかったのに、最近は「こっちの柄のほうがいいよ」と口出しをするようになった。妻の選ぶパンツのセンスは嫌ではなかったので、妻のチョイスで買うことも多くなった。

ちなみに、うちの妻は、結婚してから下着選びに興味が出て、体重80kgでブラジャーをはめると背中が「切る前のチャーシュー」みたいになってしまうにもかかわらず、下着選びに凝っている。しかも、セクスィ〜な下着だったりする。その下着を着て僕を興奮させようとしているのか？　笑わそうとしているのかは定かではないが、妻の下着への興味は増していくばかりだった。

しかし！　こないだ仕事が終わって、家に帰ると、妻が先に帰っていて、ソファで寝そべっていた。上はTシャツ。下は……。僕は自分の目を疑った。妻は僕のトランクスをはいていたのだ。しかも、それは一緒に買いに行った時に妻が「コレ、絶対いいよ」と選んだ、黒に黄色の水玉模様のトランクス！　ビックリして「何はいてんの？」と言うと「バレちゃった」とつぶやいた妻。全てを白状させると、なんとここ数か月、また太って体重が増え、腹が出て、パンティーをはいてるのが辛いため、家にいる時は僕のトランクスをこっそりはいているというではないか！　僕にバレないように、パジャマを着込んでいたらしい。

そう、だから、妻は僕の下着選びにも口を出すようになったのだ。自分も家ではくから。夫婦兼用で服を着てる人はたまにいるが、夫婦兼用でパンツをはいている人がうちの夫婦以外にいるのか？？

その日以来妻は開き直り、僕のトランクス一丁で部屋をうろついている。フロ上がりはトランクスにセクスィ〜なブラジャー。僕を興奮させようとしているのか？　いや、笑わせようとしているに決まっている！

L・O・V・E・I・N・G! マイブック、マイウェイ!!

瀬戸大橋を作る際に、橋の下の海中に橋の土台となる橋下駄を埋める作業が大変だったらしい。海中の土の中に一個が家くらいはある大きな石の土台を埋めるのだが、埋める時、海中で1㎝ズレが出ると橋が数mズレてしまうらしく、絶対にズレを出してはいけない作業だったそうだ。と、『プロジェクトX』から聞きかじった情報で始めたわけだが、最近、人によく聞かれることがある。それは「夫婦円満の秘訣はなんですか?」ということだ。

うちの夫婦はしょっちゅう手を繋《つな》いで歩いている。そして、しょっちゅう部屋の中でいちゃついている。デブの夫婦が手を繋ぎ、イチャイチャしているのだから、自他共に笑えるカップル……つうか仲のいいカップルである。結婚してから2年近くがたとうとしているが、最初は面白いから!

というだけでしてしまった結婚だが、今は完全にお互いが、LOVING中である。でも、そんなイチャイチャしていられるのにもちゃんと理由はある。うちの夫婦なりにちょっとした努力もしてたりするのだ。それが「マイブック」というものである。

今年の初めに妻が知り合いからもらってきた「マイブック」と書かれた本。その人のアドバイスで「これやるといいよ」と言われたらしく、その文庫本サイズの本を開いてみると、各ページの頭に2004年度の日付と曜日が入っている。「8月16日（月）」という感じで。それ以外は真っ白なのである。意味がわからず、本の後ろ表紙を見ると、そこには「これは世界に一冊しかないあなたが作る本です」と書かれている。つまりは、その日付の所に、自分で日記を書き本を完成させるのである。

こんなもんで300円以上する。完全にボッタクリである。半分腹立ちながら「なんだコレ？」と言うと、そのマイブックを、「お互いが一日ずつ交代で書くと更にいい夫婦になるよ。愛が深まるってさ」と言われ、もらってきたのだという。つまりは交換日記である。中学時代、淡い恋心を持っていた頃に憧れた交換日記を30過ぎたおっさんにやろう！　と提案する妻。ホントこんな物で愛が深まるのか？　しかし妻が熱望するので嫌々ながらやってみることにした。

そして、そのマイブック、始めてから半年がたつわけだが、結果から言おう。マイブック最高！　完全にマイブック賛成派。これ考えた人、天才！　といろんな夫婦にお勧めしている。

まるでネズミ講にハマってしまった人のように。

何がいいのかと言うと、瀬戸大橋じゃないが、一緒に生活していると、いくら愛し合っていても、多少のズレは生まれる。そのズレが毎日ちょっとずつ増えていくと、1か月後には結構大きなズレになっていく。そんなお互いのズレをハッキリと報告するのに最適なのだ。

不思議なもので、どんなに相手のことが好きでも、正面切って相手の腹立つところを言えないものである。その人への「文句」って、瞬発力で思った時に言わないと、ちょっとでもタイミングがズレると言いにくくなってしまう。そんなお互いへの苦情。もちろんマイブックに文句ばっかり書いてる訳じゃない。お互いを誉めることも書かれている。そして互いの愛情確認。

なので、うちのマイブックには日替わりにお互いの文字で「バカやろー」「ふざけるな」「あんた凄い」「好きだ」「愛してる」のオンパレードである。なにぶんうちの夫婦は交際0日で結婚した夫婦なので、これを始めた頃が丁度、夫婦として、いろんなことを感じてる時だったのだ。

「そんなのメールでいいじゃない？」という人もいるが、メールじゃダメだ。会社のトイレとかにたまに書いてある落書きを思い出してほしい。「××子ってヤリマンらしいよ」とか書いてある。仮にそれが知らない人から突如メールで届くよりも、その人の「感情」が乗った「文字」という形で見てしまうと、心まで響くはずだ。

人が書いた文字のパワーは凄い！　それに、今、過去のマイブックを見返すと、同じ人が書いた文字のはずなのに、日ごとに文字が違う。その日のテンションが文字には確実に出てる訳である。不思議だ。

そんな「マイブック」でお互いの膿《うみ》を出しながら、うちの夫婦は更に大きな愛を手に入れた気がする。
GET A LOVEだ。このマイブック、是非、保坂尚輝に渡したい！ もう遅いか……。

あとがき

結婚して2年たつが、いまだに僕のこの結婚を「面白婚」だと思ってる人達がいる。つまり、偽装の夫婦でしょ！　ってことである。

確かに最初は「面白そうだから」で結婚した。でも、今思うとそれが一番正しかったのだ。何故なら、僕も普段バラエティー番組を考える「放送作家」という仕事をしていて、日頃「面白いこと」を考えてお金をもらう仕事をしている。妻は芸人という仕事をしていて、当然「面白いこと」をしなければならない！　つまりは人生の中で大事にしなければいけないものの第1位が同じだったのだ。

「夫婦にとって価値観が一緒なのは大事」とはよく言うが、「面白いこと」が好きな二人が「面白そう」で結婚したのだから、それはある意味正しかったのだ（あとで気づいたことだが）。

僕の人生は大島美幸という一人のブスに出会って、ホントに変わった。人間、ここまで考え方が変わるのか？　っていうくらい変わった。何故なら人生で大事にするもののランキングが変わってしまったのだから。絶対に変わるはずはないと思っていたものが。その見事ランキング1位になってしまった、世界で一番美しいブスと出会えたことに、心から感謝しています！

ホントにブスとのおのろけ終わり!!

放送作家　鈴木おさむ

2004年9月

初出

「鈴木弥輪店♡物語」（『ＰＯＰＥＹＥ』２００２年11月25日号～２００３年10月13日号）、

「ブスの瞳に恋してる」（『ＰＯＰＥＹＥ』２００３年10月25日号～２００４年９月10日号）に加筆・訂正を行いました。

鈴木おさむ
すずき・おさむ　1972年千葉県千倉町生まれ。放送作家。
「SMAP×SMAP」「めちゃ×2イケてるッ！」「水10！ココリコミラクルタイプ」他、多数のバラエティー番組の構成を手がける。ドラマ「人にやさしく」などの脚本も担当。また劇団「ザ・おさむショー」を主宰している。最新の活動情報は、
http://osamushow.com/

ブスの瞳《ひとみ》に恋《こい》してる

2004年9月16日　第1刷発行
2006年4月3日　第15刷発行

著者……鈴木おさむ
発行者…石﨑　孟
発行所…株式会社マガジンハウス
東京都中央区銀座3-13-10　〒104-8003
電話　書籍営業部　03（3545）7175
書籍編集部　03（3545）7030
印刷所…東京書籍印刷株式会社
製本所…小泉製本株式会社

ISBN4-8387-1528-5 C0095